A ALEGRIA É UMA RESPONSABILIDADE POLÍTICA

Dados Internacionais de Catalogação na Publicação (CIP)

Vannuchi, Camilo
S223
A alegria é uma responsabilidade política: a ginga, a audácia e a urgência de Diogo de Sant'Ana / São Paulo:
Fundação Perseu Abramo; Autonomia Literária, 2023.
264 p.

ISBN 978-65-5626-110-2 (Fundação Perseu Abramo)
ISBN 978-65-87233-99-4 (Autonomia Literária)

1. Sant'Ana, Diogo de 2. Biografia I. Vannuchi, Camilo

(Responsável: Eduardo Marcos Fahl - CRB-8 6387)

FUNDAÇÃO PERSEU ABRAMO
Rua Francisco Cruz, 234 – Vila Mariana
04117-091 São Paulo – SP
Fone: (11) 5571 4299
www.fpabramo.org.br

AUTONOMIA LITERÁRIA
Rua Conselheiro Ramalho, 945
01325-001 São Paulo – SP
autonomialiteraria.com.br

CAMILO VANNUCHI

A ALEGRIA É UMA RESPONSABILIDADE POLÍTICA

A ginga, a audácia e a urgência de Diogo de Sant'Ana

FUNDAÇÃO Perseu Abramo
Partido dos Trabalhadores

AUTONOMIA LITERÁRIA

Para Gabriela e Caetano.

O meu lugar
É cercado de luta e suor
Esperança num mundo melhor
E cerveja pra comemorar.

Arlindo Cruz e José Mauro Diniz

Os filósofos têm apenas interpretado
o mundo de diferentes maneiras. O
que importa, porém, é transformá-lo.

Karl Marx

Tudo, tudo, tudo vai dar pé.

Gilberto Gil

Sumário

Prefácio

Luiz Inácio Lula da Silva

O Brasil precisa de mais gente como o Diogo de Sant'Ana.

Precisa daquele sorriso que raramente se fechava. Daquela disposição para o diálogo, que ele trazia o tempo todo. Daqueles ouvidos e daquele coração que estavam sempre abertos para escutar e compreender o sofrimento e a luta das pessoas mais vulneráveis de nossa sociedade.

Diogo trabalhava por pessoas que sofrem não apenas com a negação de seus direitos mais básicos, mas também com o preconceito e o nariz torcido daqueles que tiveram todas as oportunidades na vida e acham que a miséria é uma opção de vida.

A verdade é que falta um mínimo de humanidade a quem acha que a miséria é um sinal de inferioridade ou o resultado de alguma lei natural que separa os que merecem viver bem dos que merecem sofrer. A miséria é uma escolha política. E, como toda opção política, pode ser mudada.

Diogo sempre compreendeu isso muito bem. Sabia que o caminho para a retomada da dignidade dessas pessoas passa pela existência de políticas públicas que lhes deem oportunidade de vida melhor. Que efetivamente garantam a eles tudo o que está gravado em nossas Leis, em nossa Constituição, na Declaração Universal dos Direitos Humanos.

Uma das primeiras coisas que aprendi na minha vida sindical é que é a luta que faz a lei. Uma luta que nunca foi fácil, mas que resultou em salários mais justos e melhores condições de trabalho. Que, em última análise, levou um metalúrgico à Presidência da República.

No movimento sindical, contudo, nós tínhamos algumas condições que nos fortaleciam. Em primeiro lugar, tínhamos empregos formais. Tínhamos sindicatos. Mesmo apanhando da polícia, fazíamos greves que obrigavam os patrões e o Estado a nos ouvir.

Mas que instrumentos de pressão têm os catadores de material reciclável? Como eles podem se fazer ouvir no centro do poder? Qual é o poder dessa gente, por mais que se organize, para exigir que seus direitos sejam garantidos?

Por isso mesmo, não basta ao Estado esperar passivamente que as suas reivindicações cheguem até nós. É preciso que a gente vá até essas pessoas, as escute de coração aberto e trabalhe duro para que suas necessidades se transformem em políticas públicas.

Em 2008, quando Diogo começou a trabalhar em meu gabinete, não demorei para perceber aquilo que o Gilberto Carvalho, seu chefe imediato, já tinha percebido: aquele rapaz não só estava totalmente alinhado com nosso propósito maior – garantir uma revolução de direitos no Brasil, sem deixar ninguém para trás – como era também capaz de correr a Esplanada de alto a baixo para transformar esse propósito em políticas públicas.

Lembro o tanto que me emocionei quando, graças a uma articulação do Diogo, recebemos em Brasília um grupo de mulheres da Amazônia que foram vítimas de escalpelamento. Eram mulheres e meninas que sofreram acidentes com hélices ou eixos de motores de barco e acabaram perdendo seus cabelos e seu couro cabeludo.

Naquele momento, determinei que era preciso o envolvimento de várias áreas do governo, não apenas para dar a necessária atenção às mulheres vitimadas, como também para evitar que acidentes desse tipo continuassem ocorrendo. Foi Diogo, com sua persistência e sua habilidade, quem articulou as ações com vários de nossos ministérios. E disso resultou a criação de procedimentos específicos no SUS, a criação de casas de atendimentos para as vítimas e as normas para que as embarcações se tornassem mais seguras.

Com os catadores de recicláveis, foi a mesma coisa. Desde 2003, graças a articulações feitas pelo Gilberto Carvalho, eu vinha participando de celebrações de Natal com os catadores em São Paulo.

Em 2006, promovemos uma coisa inédita neste país: recebemos os catadores no Palácio do Planalto para participar da assinatura de um ato solene. Fiz isso porque achava importante mostrar que a barreira entre aqueles que puxam carroças de recicláveis na rua e a maior autoridade do país era uma barreira que podia ser quebrada. Que somos todos seres humanos, brasileiros, portadores exatamente dos mesmos direitos.

Também, desde 2003, vínhamos lançando políticas e programas para garantir direitos à população de rua, beneficiar os catadores de recicláveis e fomentar a economia baseada no reaproveitamento de resíduos sólidos.

Quando Diogo começou a trabalhar conosco, tomou esse tema como uma missão de sua vida. E quem tem um propósito na vida não se abate, faz as coisas acontecerem. Diogo foi fundamental para botar em funcionamento, em 2010, o Programa Pró-Catador. Ajudou as cooperativas e redes de catadores a se organizarem para terem acesso a financiamentos do BNDES. Ajudou a retirar travas burocráticas dos processos. E isso resultou em centros de reciclagem, caminhões, organizações de redes de cooperativas e uma série de transformações concretas na vida dos catadores.

Infelizmente, Diogo se foi muito cedo, muito jovem. E é até difícil imaginar o quanto mais ele estaria fazendo hoje.

Sua luta, contudo, ainda gera frutos. E continuará gerando.

Sua luta está viva nas mãos da Aline Souza, a catadora de recicláveis que tantas vezes se reuniu com Diogo e que me entregou a faixa presidencial em 1º de janeiro de 2023.

Sua luta está viva em cada jovem que consegue acesso a uma boa escola, a uma universidade, a um emprego.

É por isso que digo que o Brasil precisa de mais gente como o Diogo. Digo isso não como um lamento. Mas como uma esperança de que, ao seguirmos dando aos nossos jovens as oportunidades que lhes são de direito, estamos também dando ao Brasil a oportunidade de gerar muitos outros Diogos de Sant'Ana.

Luiz Inácio Lula da Silva
Presidente da República

1

A República não caiu

Mais uma vez, Diogo havia ficado sem almoçar. Ele e a maior parte dos assessores da liderança do Partido dos Trabalhadores (PT) no Senado. Desde que a Comissão Parlamentar de Inquérito (CPI) dos Bingos começara, faltava tempo para tudo, não apenas para comer. As sabatinas começavam por volta das nove da manhã e não tinham previsão para acabar. As mais tranquilas se estendiam até umas cinco da tarde. As mais complexas avançavam noite adentro. O jeito era engolir uma coxinha ou um sanduíche, ali mesmo, no corredor, e voltar para as audiências da CPI, aquela máquina de moer gente.

Em pouco mais de dois meses, desde que trocara São Paulo por Brasília, a combinação explosiva de alimentação desregrada, ansiedade e falta de atividade física já havia operado transformações na silhueta de Diogo. O espelho não aliviava. Era preciso voltar a jogar bola com urgência. Dali a alguns dias, Diogo completaria 27 anos. O que ele mais queria, naquele momento, era organizar uma partida de futebol, onze de cada lado, dois tempos de 45 minutos, seguida de uma roda de samba com cerveja para comemorar o aniversário. Mas, naquele momento, com a CPI soltando faísca, não havia tempo para pensar em festa, muito menos em cuidar da dieta. Ainda mais morando em hotel. Sobretudo agora, depois que um caseiro decidira confrontar um depoimento prestado dois meses antes pelo ministro-chefe da Casa Civil.

De repente, o governo parecia degringolar. O que era CPI dos Bingos havia se transformado em CPI do Fim do Mundo, apelido atribuído pelos cronistas da Esplanada à maior batalha legislativa desde o episódio do Mensalão, no ano anterior. A oposição não disfarçava o entusiasmo, ouriçada com a oportunidade - provavelmente, a última - de implodir a popularidade do presidente a seis meses e meio da reeleição. Com o auxílio da grande imprensa, a oposição dominava a pauta no Congresso Nacional, emplacava uma Comissão Parlamentar de Inquérito atrás da outra e protocolava dúzias de requerimentos de convocação com munição de alta letalidade.

Instalada em meados de 2005 para investigar denúncias de corrupção na Loteria Federal e o envolvimento de casas de bingo em lavagem de dinheiro, aquela CPI chegava a março de 2006 transformada num enorme balaio em que cabia de tudo: contratos da Caixa, dólares cubanos supostamente usados para financiar campanhas eleitorais, máfia de juízes no Campeonato Brasileiro de futebol, uma despropositada acusação de *lobby* feita contra um irmão do presidente Lula. Até as mortes de Toninho do PT e Celso Daniel, ex-prefeitos de Campinas e Santo André, entraram na pauta da direita, contaminada pela busca desesperada por fazer sangrar, tanto o governo quanto a base aliada.

No Congresso, Diogo atuava como volante: organizava a defesa e preparava o contra-ataque. Era com esse espírito que ele tomava fôlego e irrompia logo cedo pelos corredores do Senado, como quem entra em campo após quinze minutos de aquecimento, já intuindo que a partida irá para a prorrogação.

Formado em Direito havia menos de três anos, cabia a ele e aos demais assessores jurídicos do PT não apenas a tarefa de desarmar pautas-bombas e incidir nos projetos estratégicos, mas também, no âmbito da CPI, preparar os parlamentares para fazer as perguntas certas e impedir que as investigações de erros pontuais degenerassem num ataque generalizado da oposição ao coração do governo – com o objetivo de derrubá-lo.

Diogo analisava a conjuntura e chamava para si a responsabilidade de transformar bombas em traques. Fora com essa missão que ele se mudara para Brasília para trabalhar diretamente com Aloizio Mercadante, o líder do governo no Senado.

Naquele dia, início da primavera no Distrito Federal, já escurecia quando Diogo voltou a respirar. Encerrado o Tribunal da Inquisição, era possível fazer um rápido intervalo para comer alguma coisa. Com a amiga Maria Victoria Hernandez, lotada no gabinete de Ideli Salvatti, senadora por Santa Catarina, Diogo andou até o Anexo IV da Câmara dos Deputados e tomou o elevador rumo ao décimo andar. Ali, havia uma lanchonete ainda aberta, com algumas opções de salgados e saladas. A passos largos, os dois despacharam no caminho, como de hábito, analisando o cenário político, a pauta do dia seguinte, as convocações em andamento. O balanço não poderia ser pior. "Estamos fodidos." "Palocci já era." "A gente não tem um dia de paz nessa bagaça." "A República está desmoronando." "O que vai ser do governo?" "Imagina o que não vão aprontar durante a campanha."

O paletó amarrotado e a gravata em desalinho denunciavam o cansaço após doze horas de trabalho ininterrupto. Ainda em pé, Maria Victoria e ele fizeram o pedido e foram orientados a aguardar.

O acesso à lanchonete se dava por um corredor comprido, emoldurado por grandes janelas circulares. Diogo quis esperar por ali. Deu um gole demorado na latinha de Coca-Cola e se aproximou de um dos vidros. A vista era fantástica. À esquerda, a Esplanada dos Ministérios, o Itamaraty em primeiro plano, o Ministério da Justiça ao fundo. Em frente, as torres do Congresso Nacional, ladeadas por duas conchas icônicas, uma côncava e outra convexa, uma das obras mais emblemáticas de Oscar Niemeyer. Finalmente, à direita, o Supremo Tribunal Federal (STF), a Praça dos Três Poderes, o Palácio do Planalto.

Diogo olhou em silêncio para aquela imensidão de concreto, para os espelhos d'água, para as luzes que pontilhavam de amarelo os prédios públicos no epicentro do poder político do país. Viu os carros, lá embaixo, deixando o estacionamento da Câmara e riscando o Eixo Monumental. Trabalhadores no ponto de ônibus, um casal passeando de mãos dadas.

— Vic, dá uma olhada. Tá todo mundo trabalhando normalmente. O pessoal no ponto de ônibus, voltando pra casa, tudo normal. Essas pessoas vão chegar, abraçar os filhos, ligar a TV para ver a novela.

A vida acontecia lá fora enquanto Diogo e Maria Victoria, exaustos, arrancavam os cabelos.

— A República não caiu e nem vai cair — ele completou.

Diogo não estava em Brasília a passeio. Prestes a completar 27 anos, ele tinha uma convicção: a de que ninguém faz nada de extraordinário se não se desdobrar, se não trabalhar intensamente. E o seu objetivo era bastante claro: ajudar a transformar o Brasil num país melhor, mais igualitário, justo e desenvolvido. Por isso estava ali, àquela hora, no décimo andar do Anexo IV. Para isso havia se mudado para o Distrito Federal, como uma andorinha disposta a fazer sua parte na construção do futuro.

Essa lembrança tinha o condão de devolver-lhe o sorriso e recarregar as baterias. De repente, era como se Diogo entendesse que fora escalado para uma partida decisiva, na qual atuava simultaneamente como zagueiro e atacante, e que vinha sendo disputada, pau a pau, desde o alvorecer de 2003, quando a Praça dos Três Poderes amanheceu tingida de vermelho para receber o primeiro presidente operário da História do Brasil. Mais do que uma partida, Diogo entendia aquele momento como a disputa de um projeto coletivo, ao qual se dedicava com paixão e urgência desde sempre: no movimento estudantil, na Faculdade de Direito, na militância partidária, na administração pública ou na assessoria legislativa. Um campeonato que tivera início lá atrás, nos anos 1980, na casa de 35 metros quadrados e um único quarto que Diogo dividia com a mãe com deficiência e a avó temperamental no distrito de Socorro, na periferia de São Paulo. Uma jornada que começara quando Diogo, desafiando todas as probabilidades, teimou em nascer.

2

Cinquenta e seis segundos

— Ela não pode ter esse filho. Se insistir nesta loucura, ela vai morrer.

Nenhum dos médicos e professores consultados pela dra. Albertina arriscou um prognóstico mais otimista.

— Ela precisa interromper essa gravidez. Não tem a menor condição de sua amiga entrar em trabalho de parto.

Ginecologista e obstetra em início de carreira, recém-saída da residência médica no Hospital das Clínicas da Universidade de São Paulo (USP), Albertina Duarte Takiuti ouvia cada conselho com atenção e sentia-se mais confusa a cada dia. Fosse uma paciente qualquer, ela já teria providenciado a papelada para requerer o aborto legal - previsto no código penal brasileiro desde 1940, nos casos em que a gestação põe em risco a vida da mulher. Mas Maria do Carmo não era uma paciente qualquer. Ela era sua melhor amiga, uma espécie de irmã mais nova, quatro anos mais jovem, com quem Albertina convivia intensamente desde a adolescência. E ela, a amiga, estava decidida a ter aquele filho.

Não era a idade que preocupava os médicos, mas uma conjunção de fatores que tornavam sua saúde cronicamente delicada.

Aos 29 anos, Maria do Carmo de Sant'Ana tinha uma deficiência rara, a mesma síndrome de Quasimodo, do romance *O corcunda de Notre Dame*, de Victor Hugo. Mais do que uma cifose comum, uma grave deformidade na coluna vertebral se fazia visível na forma de uma avantajada protuberância na porção superior das costas - e lhe impunha, além de sérias dificuldades de locomoção, dores musculares, restrições respiratórias e problemas cardíacos. Tal condição clínica fez com que todos os colegas consultados pela dra. Albertina recomendassem a interrupção da gravidez.

Albertina os havia consultado sem que a amiga soubesse. Quando, finalmente, tomou coragem para tratar do assunto com ela, encontrou Carminha decidida a ter a criança, não importava o que os médicos dissessem nem o que recomendasse a literatura.

— Talvez esta seja a única chance de eu ser mãe - ela dizia.

Sua convicção era tão firme que Albertina não teve coragem de sugerir o aborto. Tampouco revelou à amiga que seu caso vinha sendo discutido por meia dúzia de profissionais muito mais experientes do que ela. Carminha, por sua vez, tinha consciência dos riscos daquela gestação, embora não os conhecesse em detalhes. Talvez por intuir os maus presságios dos especialistas, nunca perguntou a Albertina se deveria levar a gestação adiante, qual o risco que ela corria ou se a criança nasceria saudável. Suas perguntas eram de outra ordem:

— Quantos quilos eu posso engordar?

— Cinco, no máximo — Albertina respondia, resignada. — Você vai precisar fazer regime. E tomar vitaminas.

Coube à amiga conduzir o acompanhamento pré-natal, uma aventura muito mais complexa do que ela, aos 33 anos, sentia-se apta a enfrentar.

— Você não vai se meter nessa fria — aconselhou um colega.

— Olha o tempo de formada que você tem e o risco dessa gestação — disse outro.

Sem alternativa, Albertina passou a ler tudo o que conseguiu encontrar sobre casos semelhantes. Passava horas na biblioteca da Faculdade de Medicina da USP, num tempo muito anterior ao Google ou à publicação de periódicos na internet, em que mesmo o acesso a *papers* internacionais era restrito. Pediu ajuda a amigos, sobretudo àqueles que poderiam se solidarizar com a situação e buscar soluções. Encontrou o apoio que precisava em colegas engajados no movimento pela Reforma Sanitária - que culminaria na criação do Sistema Único de Saúde (SUS), uma década depois - e em médicos que militavam no Partido Comunista Brasileiro (PCB), o "Partidão", no qual Albertina e Carminha também atuavam. Aos poucos, a hipótese do aborto foi sendo substituída por uma solidária política de redução de danos.

— Bom, vamos reunir um grupo para ver o que dá para fazer — sugeriu um professor titular. — Analisar os exames, definir a melhor abordagem e ver o que acontece.

Naquele segundo semestre de 1978, um simples exame de ultrassom ainda era novidade no Brasil, restrito a pouquíssimas clínicas - e, certamente, Carminha não teria acesso a ele. Aos poucos, a estratégia foi sendo traçada por aquela junta médica informal.

— Ela tem pouco espaço na barriga.

— Ela é cardíaca.

— A coluna vertebral não vai suportar o trabalho de parto.

— Vai ter de ser cesariana.

— No máximo, com 28 semanas.

— Se passar de 32 semanas, ela vai morrer.

— Eclâmpsia, na certa.

— Se não morrer, as sequelas serão gravíssimas.

Quando Carminha entrou no quinto mês de gestação, Albertina a trouxe para sua casa. Ali, a pressão sanguínea era monitorada de três a quatro vezes por dia. Media-se também a glicemia. A alimentação era rigorosamente controlada. Albertina montou uma tabela de calorias com todos os alimentos e Carminha passou a andar com uma marmita de frutas. À noite, Albertina velava seu sono com preocupação. Observava a respiração ruidosa, intermitente, os episódios de apneia cada vez menos esparsos, e preparava-se para o pior: um infarto, um derrame.

Ao se debruçar sobre o caso da amiga, a médica havia encontrado registros de apenas três mulheres no mundo que haviam dado à luz em condição semelhante. E entendeu que, aos 29 anos, Carminha não teria muito a perder: a expectativa de vida para mulheres com aquela síndrome não passava dos 30. Nada disso era verbalizado. Alheia às descobertas de Albertina, Carminha seguia em frente, feliz com a hipótese de ser mãe.

Aos olhos da doutora, estava para nascer uma mulher resiliente como ela. Quando se conheceram, no início de 1962, Carminha tinha 12 anos e parecia fadada a reproduzir o ciclo de repetência, evasão escolar e subemprego, tão comum no país. Aluna da Escola Estadual Ministro Costa Manso, no Itaim Bibi, a poucas quadras da casa onde morava com a mãe, Sophia, e a irmã Daize, onze anos mais velha, Carminha já havia perdido o ano duas vezes. Agora, começando mais uma vez do zero o primeiro ano do curso ginasial, virou colega de sala de Fátima, irmã mais nova de Albertina.

Aos 16 anos e cursando o Ensino Médio como bolsista no Liceu Eduardo Prado, um colégio particular também no Itaim, Albertina era quem ia às reuniões de pais e mestres no Costa Manso, como a responsável pedagógica pela irmã. Ali conheceu Carminha e inteirou-se de sua condição. Albertina entendeu que o desempenho insatisfatório da amiga da irmã devia-se à falta de estímulo (e recursos) em casa e, principalmente, ao grande número de faltas. Carminha perdia aulas com frequência, ora pela dificuldade de locomoção, ora porque precisava ir ao médico.

Naquele mesmo ano, Albertina propôs que estudassem todas juntas e organizou uma espécie de *bunker* em sua casa, com a irmã e a amiga da irmã. Tomava-lhes a lição, corrigia, propunha leituras: um livro a cada quinze dias, com a obrigação de entregarem um resumo. Em época de provas, Carminha se mudava para sua casa e, juntas, passavam tardes e noites à mesa da sala, revendo cada tópico da matéria.

— A partir de agora, você não vai perder mais nenhum ano – ela prometeu.

A formação se estendia pelos fins de semana. Às voltas com a Juventude Universitária Católica, a JUC, e voluntária em grupos de educação popular que utilizavam o novíssimo método de alfabetização desenvolvido por Paulo Freire, Albertina fazia questão de levar Fátima e Carminha para assistir a filmes, *shows* e peças de teatro nos principais endereços da arte engajada naqueles turbulentos anos 1960. Eram tempos de cinema novo e festivais universitários, Centro Popular de Cultura da UNE e Teatro de Arena, Sérgio Ricardo e Carlos Lyra, Boal e Guarnieri, Zé Keti com João do Vale e Nara Leão.

Imigrante portuguesa, filha mais velha de um pedreiro cujo ordenado sustentava a esposa e cinco filhos, Albertina pôs na cabeça que faria medicina, numa época em que o curso era essencialmente masculino e restrito às camadas mais ricas da sociedade. Para isso, teria de se esforçar em dobro. No ano do golpe, enquanto os militares encastelados em Brasília depunham João Goulart e dedicavam-se com afinco a destruir as reformas de base que apenas começavam a sair do papel, Albertina estudava oito, dez, doze horas por dia. Tanto fez que acabou conseguindo. Matriculou-se na Faculdade de Medicina da USP em janeiro de 1965, e logo seu exemplo inspirou Fátima e Carminha a também sonhar com uma graduação.

Albertina tinha um mantra: "pobre tem que estudar". Aquele axioma reverberava nos ouvidos de Carminha com uma urgência ainda maior. Ela, Carminha, não era apenas pobre, mas uma pessoa com deficiência, dona de um corpo desconjuntado, o que, ao mesmo tempo que lhe dava a certeza de que não poderia exercer profissões que exigissem muito de seu físico, soava para ela, no início da vida adulta, como um decreto de que permaneceria solteira – o que, nos anos 1960, representava um esforço adicional no sentido de conquistar a independência financeira, necessariamente por meio de um trabalho intelectual.

Foi assim que, em 1970, aos 21 anos, Carminha passou no vestibular para o curso de História da USP – no mesmo mês em que Albertina, diplomada, foi admitida na residência no Hospital das Clínicas.

Juntas, as duas militavam no Partido Comunista, agora na clandestinidade, e, cada uma à sua maneira, passaram a participar de atividades de oposição à ditadura. A USP fervilhava. Carminha cursava o terceiro ano de História quando um estudante de Geologia foi torturado até a morte no Destacamento de Operação Interna/Centro de Operações e Defesa Interna (DOI-CODI), epicentro da repressão, em março de 1973. Duas semanas após o assassinato de Alexandre Vannucchi Leme, o arcebispo Dom Paulo Evaristo Arns, recém-nomeado cardeal pelo Papa Paulo VI, ousou celebrar uma missa em homenagem ao jovem na Catedral de São Paulo, dando nomes aos bois e denunciando a truculência do regime. Em maio, Gilberto Gil aceitou um convite do Grêmio Estudantil da Escola Politécnica e cantou por mais de duas horas num auditório da faculdade, ocasião em que interpretou pela primeira vez em público a inédita *Cálice*, composta com Chico Buarque no feriado da Páscoa e vetada pela censura em abril: "Como é difícil acordar calado / Se na calada da noite eu me dano / Quero lançar um grito desumano / Que é uma maneira de ser escutado."

Em 1975, Carminha trabalhava com Albertina na preparação do Encontro para o Diagnóstico da Mulher Paulista, a ser realizado na Câmara Municipal de São Paulo de 13 a 20 de outubro como parte da primeira Conferência Mundial da Organização das Nações Unidas (ONU) sobre a Situação da Mulher, quando foi encapuzada, jogada numa Veraneio e levada ao mesmo DOI-CODI onde Alexandre fora morto, dois anos e meio antes. Ela estava lá quando o jornalista Vladimir Herzog, da TV Cultura, foi assassinado, em 25 de outubro. Tentaram forjar suicídio, versão prontamente desmontada por uma série de evidências, denunciadas novamente por Dom Paulo, em um ato ecumênico celebrado, mais uma vez na Sé, com o rabino Henry Sobel e o pastor Jaime Wright. Parentes e amigos que sabiam do paradeiro de Carminha e de sua condição médica se descabelavam desde o dia da prisão: um único choque poderia matá-la?

De vez em quando, alguém trazia notícias. "Haviam despido Carminha", disse um. "Ela fora vista com o nariz sangrando", disse outro. Quando deixou a sucursal do inferno, em dezembro, Carminha fez um pacto com as amigas: não falaria sobre o que aconteceu lá dentro. Preferia nunca mais repisar aquela dor, aquele medo, aquela angústia.

Agora, três anos depois de sobreviver à pior experiência de sua vida, Carminha exultava de alegria diante da iminência de ser mãe. No *réveillon* de 1979, indo para o sexto mês de gestação, ela só pensava que o novo ano lhe traria um filhote, um rebento.

Uma única coisa a atormentava: a ausência do pai. É bem verdade que, feminista e comunista, nem passava pela cabeça de Carminha exigir matrimônio de homem algum. Seria como passar recibo, sujeitar-se a uma estrutura familiar patriarcal que ela jamais suportaria, agarrar-se a uma convenção pequeno-burguesa condenada ao fracasso. Ao contrário, Carminha estava determinada a se assumir como mãe solo, a levar adiante uma produção independente. Tilá, o pai, não tinha nada a ver com a sua decisão. Não cabia consultá-lo.

Mas nem uma visita? Nem um telefonema ou um telegrama perguntando se estava tudo bem, se ela precisava de alguma coisa?

A ausência de Tilá começou a incomodar à medida que o Carnaval se aproximava. Um ano antes, no Carnaval de 1978, Carminha frequentara os ensaios da Pérola Negra - a escola de samba que vira nascer, na Vila Madalena, cinco anos antes - e, foliona que era, curtira algumas das mais divertidas rodas de samba da Grande São Paulo, entre elas uma roda em Taboão da Serra, na casa do Dito, o pai do Tilá.

Foi o amigo Carlinhos quem os apresentou. Tilá, um homem negro e bonito, tocava violão e parecia saber de cor um sem-número de sambas, qualidade em que rivalizava com a própria Carminha, que dizia ser capaz de cantar, de memória, algo como seiscentos sambas-enredos. Tilá também tocava e cantava músicas de protesto, como as de Geraldo Vandré. *Disparada* pra lá, *Aroeira* pra cá, Carminha acabou se envolvendo na trama daquele sorriso e daquela voz. *Fica mal comigo quem não sabe amar...* Quando percebeu, estava apaixonada, uma sensação que ela jamais havia experimentado. Nunca daquele jeito.

Já formada em História, trabalhando como revisora na Fundação Sistema Estadual de Análise de Dados, a Fundação SEADE, Carminha decidiu que aquele romance não teria futuro. Tilá era muita areia para o caminhãozinho dela, ela pensava. "Onde já se viu um galanteador como ele querer alguma coisa com uma mulher feia e deficiente como eu?", Carminha dizia para si mesma, desprovida de autoestima e inábil nas tramas do amor.

Por mais que repisasse o mantra, compartilhado pela amiga Albertina, de que a cabeça era maior do que o corpo - o pensamento mais importante que a aparência -, Carminha tinha consciência do desconforto que sua figura provocava na maioria das pessoas. Nas festas ou nas rodas de samba, havia quem não conseguisse disfarçar o susto ao se deparar com ela. Se alguém apontasse uma câmera fotográfica, esticava-se toda e prendia a respiração de modo a esconder a corcova. Mas como se esconder de um pretendente, de alguém com quem desejaria se deitar?

Tanto fez para sabotar o próprio desejo que Carminha acabou decidindo que era amizade o que ela sentia. Mas não era. E Albertina logo viu que não era.

O primeiro beijo aconteceu logo depois do Carnaval. E agora? Tudo era novidade para Carminha. Testemunha privilegiada daquele namoro incidental, a amiga pensava em qual método contraceptivo sugerir quando a paixão se consumou. Era inverno quando Carminha descobriu-se grávida - uma gravidez tão urgente quanto improvável, que assustava ao mesmo tempo em que parecia um milagre.

Átila Donizetti, que todos chamavam de Tilá, zarpou assim que soube da gravidez de Carminha. Meses depois, no início de 1979, Carminha ainda estava grávida quando Átila começou a namorar Joana, com quem se casaria no ano seguinte. Por via das dúvidas, Átila achou prudente contar a ela sobre a gravidez, mas preferiu embalar a notícia em meias verdades. Na sua versão, ele havia tão somente ajudado uma amiga a fazer uma produção independente.

— Mas você não vai reconhecer a criança? - a noiva teria cobrado.

— Ela não quer - Átila afirmou. — Mas fica tranquila, porque ela tem dinheiro, é formada pela USP, trabalha numa fundação do governo...

No Carnaval de 1979, a ausência de Átila tornou-se um fardo. Carminha percebia que aquela jornada rumava para a reta final e remoía o sumiço do amante. No fundo, ela esperava que ele voltasse. Não acreditava que ele fosse insensível a ponto de não aparecer nunca mais.

Agora, a gestação completava 34 semanas, superando as melhores previsões, e Albertina temia que qualquer demora pudesse ser fatal. Novos exames foram feitos, e as duas decidiram agendar uma cesariana para dali a um mês, entre os dias 23 e 30 de março. A médica entendia que seria uma irresponsabilidade passar da trigésima oitava semana.

— Então marca pro dia 25, que é o aniversário do partido — Carminha sugeriu, referindo-se à data em que o Partido Comunista Brasileiro foi fundado, em 1922.

O nome escolhido por Carminha também prestaria homenagem ao "Partidão".

— Vai ser Gregório — ela determinou, convicta de que daria à luz um menino.

Jovem pernambucano de origem camponesa, Gregório Bezerra era sargento do Exército em Recife quando participou do levante vermelho de 1935, episódio também conhecido como intentona comunista. Esteve ao lado de Luiz Carlos Prestes no comitê central e, após mais de uma década na ilegalidade, disputou e se elegeu deputado federal por Pernambuco, em 1945, ocasião em que foi colega de bancada de Jorge Amado, Carlos Marighella, Maurício Grabois e João Amazonas, até 1948, quando o PC foi novamente cassado. Em 1964, Gregório foi preso um dia após o golpe militar, exilando-se no México e em Moscou a partir de 1969, como um dos treze presos políticos trocados pelo embaixador norte-americano Charles Elbrick, sequestrado pela guerrilha. Carminha achou por bem homenageá-lo naquele simbólico 25 de março.

Por incompatibilidade de agendas ou disponibilidade da sala cirúrgica no domingo, o nascimento do pequeno Gregório acabou agendado para o dia 26, uma segunda-feira, no Hospital e Maternidade São Luiz, um dos mais modernos de São Paulo, no mesmo Itaim Bibi em que Carminha e Albertina haviam se conhecido, dezoito anos antes. Albertina pagaria os dias de internação no hospital, sem Carminha saber. E conseguiu que toda a equipe trabalhasse de graça, incluindo a auxiliar e o anestesista.

A escolha da anestesia foi um desafio à parte. A má-formação da coluna de Carminha tornava impossível o uso da anestesia raquidiana, comumente utilizada em cesarianas. Para "pegar", ela teria de ser aplicada num intervalo entre duas vértebras da região lombar, a fim de se misturar com o líquido cefalorraquidiano, que banha a medula espinhal. Ocorre que as vértebras de Carminha eram grudadas umas às outras. Não havia como acessar a medula. O jeito foi recorrer à anestesia geral.

Às 11 horas da manhã, todos a postos na sala de cirurgia, o anestesista tratou de reforçar o pedido:

— Você vai precisar ser rápida.

— Sim, eu sei — Albertina assentiu.

Durante a anestesia geral, o corpo da mãe deixa de bombear oxigênio para o feto. Interrompem-se os movimentos involuntários, inclusive os do pulmão, bem como as sístoles e diástoles do coração, que mantêm irrigado o sistema circulatório, por isso a paciente é intubada. Como o feto não pode ser intubado, é preciso retirá-lo rapidamente. Se ficar mais de um minuto sem respirar, o bebê pode ter sofrimento fetal e hipoxemia, ou seja, insuficiência de oxigênio no sangue. Dependendo do tempo que ficar sem oxigenação, a criança pode morrer durante a cesariana ou ter sequelas irreversíveis.

— Um minuto, você tem um minuto — o anestesista frisou.

Albertina fechou os olhos por um instante, respirou fundo, apurou a visão e fez o que precisava fazer. Transcorridos 56 segundos, um choro vigoroso ecoou no centro cirúrgico. Era, de fato, um menino. No minuto seguinte, não era apenas ele que chorava, mas todos ao redor da mesa, da cirurgiã ao anestesista. Alívio geral.

Nenhum sofrimento, nenhuma sequela. Apenas dois dedinhos grudados, o anelar e o médio da mão esquerda, que seriam separados cirurgicamente em poucos anos.

— Esquece Gregório — Carminha avisou, ao recobrar os sentidos e dar de cara com aquele bitelo grande e bonito, pesando três quilos e oitocentos gramas, já de macacão. — Ele vai se chamar Diogo.

A historiadora buscara inspiração na figura mítica do português Diogo Álvares Correia, o Caramuru, que, segundo o poema épico de Santa Rita Durão, naufragou na costa da Bahia em 1510, viveu por quatro décadas entre os índios tupinambás, casou-se com Paraguaçu, a filha do cacique, amasiou-se com outras tantas mulheres da aldeia e gerou mais de vinte filhos, inaugurando o mito do Brasil mestiço e da conciliação racial.

3

Socorro

Diogo de Sant'Ana cresceu rodeado por mulheres. Na casa onde passou a infância, uma edícula de 35 metros quadrados com apenas um quarto, eram quatro mulheres e ele. Além dele e da mãe, moravam na casa a avó Sophia, viúva havia trinta anos, a tia Daize, divorciada um ano antes de Diogo nascer, e a prima Danielle, quatro anos mais velha. Nenhuma figura paterna, nenhuma presença masculina por perto.

Como os gauleses nas histórias de Asterix, o matriarcado erguera ali uma espécie de acampamento rebelde, um núcleo de resistência. As dificuldades eram evidentes. A sobrevivência, uma meta constante. Mas aquelas mulheres tinham umas às outras, e iam se virando, tocando a vida do jeito que podiam em meio à recessão econômica dos anos 1980, marcada por desemprego, arrocho salarial, aumento vertiginoso do custo de vida e inflação galopante, de dois dígitos mensais.

Diogo ainda não tinha 2 anos quando se instalou naquela casa, de onde sairia apenas maior de idade. Antes, havia morado em outros dois endereços. Quando nasceu, Carminha, Daize e Dani dividiam um apartamento na rua Frei Caneca, na Bela Vista, região central de São Paulo. Uma crise violenta de asma quando o menino tinha 8 meses motivou a primeira mudança. O médico que o atendeu recomendou que a família se mudasse para um bairro menos poluído, e Carminha obedeceu prontamente, trocando o apartamento por uma casinha no Jardim Bonfiglioli, na Zona Oeste. No ano seguinte, mudaram-se para a casa que Carminha alugara anos antes para acomodar a mãe, no Socorro, um bairro industrial à beira da Represa de Guarapiranga, na Zona Sul da capital.

O nome do bairro, corruptela de Nossa Senhora do Socorro, não parecia muito animador. Para quem vira o filho engatinhar pela primeira vez na "Bela Vista", a poucos minutos do "Paraíso", ir-se de mala e cuia para o Socorro, a 20 quilômetros de distância da Fundação SEADE, onde Carminha trabalhava como revisora - um prédio na Avenida Cásper Líbero, vizinho da Estação da Luz - era uma espécie de recuo tático, um ajuste no orçamento a fim de conter despesas num momento especialmente delicado da trajetória daquela família: duas mães solo, uma delas com deficiência e a outra sem curso superior, agora com duas crianças para criar, e uma senhora idosa, desprovida de recursos próprios e que não exercia trabalho remunerado.

Na entrada dos anos 1980, Socorro era um bairro operário, mal servido de transporte, infraestrutura urbana e equipamentos de saúde e educação, que testemunhara um adensamento recente, estimulado sobretudo pela industrialização da região de Santo Amaro, a partir dos anos 1940. Embora os primeiros loteamentos à margem da Guarapiranga tenham sido lançados ainda nos anos 1920, com foco numa clientela mais abastada – uma burguesia que se buscava atrair com a promessa de qualidade de vida, esportes náuticos e restaurantes "pé na areia" ao longo de uma inusitada "Avenida Atlântica" –, a profusão de terrenos ainda vazios duas décadas após a urbanização da área desencadeou a mudança gradual do público-alvo. Já nos anos 1950, a maior parte dos proprietários e inquilinos que se estabeleceram na região era formada por técnicos e operários das indústrias de Santo Amaro, o distrito vizinho, que encontravam na margem oposta do Rio Jurubatuba moradias a preços mais acessíveis. Com isso, a população da área hoje abrangida pela subprefeitura de Capela do Socorro (que engloba os distritos de Socorro, Interlagos e Cidade Dutra) saltou de 30 mil habitantes em 1960 para 261 mil habitantes em 1980: um crescimento de 900% em vinte anos.

A casa de apenas um quarto que Sophia passou a dividir com Carminha, Daize, Danielle e Diogo ficava nos fundos do número 656 da Avenida de Pinedo. Para chegar ao puxadinho, era preciso transpor um portãozinho de madeira, na altura do umbigo, e atravessar um corredor comprido e estreito, a céu aberto, apertado entre duas casas com frente para a rua. Ao fim desse corredor, cruzava-se um modesto quintal, com algumas plantas, um tanque e um varal sob duas telhas de amianto, para finalmente chegar à casa.

Uma vez, quando Diogo tinha 9 anos, a desilusão foi tanta após uma derrota do Corinthians que o menino, num rompante de fúria, meteu um chute no tanque e o partiu ao meio, fazendo-o despencar. O episódio rendeu uma bronca duríssima da avó Sophia e acabou se tornando tópico obrigatório nas histórias sobre o neto. Sophia narrava o ocorrido para todos os parentes, ocasião em que aproveitava para dar uma desancada no menino – um pivete, segundo ela – e dirigir indiretas à filha – que o mimava demais e, na sua visão, não soubera dar a ele a devida educação.

A avó nunca foi uma pessoa fácil. "Tinhosa", segundo uns, "um capeta", segundo outros, a mãe de Carminha reunia, já naquela época, um histórico controverso. Chamava todo mundo de preguiçoso ou de vagabundo. Não admitia que se usasse dinheiro em livros, por exemplo, quando o sofá tinha remendos e, segundo ela, passava da hora de ser substituído por um novo. Se dependesse somente dela, talvez Carminha jamais tivesse terminado a escola, muito menos cursado uma faculdade – um luxo desnecessário, na sua visão. Se Carminha pôde se formar, isso se deveu muito mais aos esforços da irmã Daize, que lhe bancava as passagens de ônibus e pilhas de xerox, e à amiga Albertina, que garantiu a ela o espaço e as condições adequadas para que ela pudesse se concentrar.

Sophia impôs dificuldades até para dar seguimento aos tratamentos de saúde da filha. Quando Albertina, já médica, descobriu que a causa da deficiência de Carminha deveria ser uma tuberculose óssea, provavelmente contraída por Sophia durante a gestação, a mãe se recusou a fazer um teste de detecção de antígeno, necessário para o diagnóstico preciso. Com a recusa, Carminha não pôde pleitear novas possibilidades de tratamento, o que, na época, poderia resultar em melhorias no quadro geral, redução da deformidade ou supressão das dores. Mesmo diante da insistência de Albertina, Sophia preferiu manter a versão de que havia levado um chute na barriga, e por isso Carminha nascera "defeituosa".

Ao mesmo tempo em que limitava movimentos e aptidões, a deficiência de Carminha eternizava uma situação de dependência mútua: a filha precisava dela por perto da mesma forma que ela precisava da filha para sustentá-la. O nascimento de Diogo ampliou essa dependência, uma vez que a filha precisaria dela para olhar o menino enquanto estivesse no trabalho. E toca a suportar aquele "pivete", que a avó teimava em menosprezar: um "moleque" não planejado, que a "tonta" da filha insistira em ter, mesmo depois de ser abandonada por um pai "mulherengo", e que "ainda por cima" era "preto", para desgosto dela, a avó.

Caçula de quatro irmãos – Daize, Manoel, Beto e ela –, Carminha nascera em Ariranha, no interior paulista, e não conhecera o pai. Uma tragédia digna de teatro grego se abatera sobre sua família quando ela ainda estava na barriga da mãe. Casada desde os 20 anos de idade com um primo de primeiro grau, o Alípio, Sophia se convenceu de que o marido a traía com uma de suas cunhadas, esposa de seu irmão Fernando. Mordida de ciúme, foi até o irmão e revelou suas suspeitas. "Se você é homem, não pode deixar barato", ela o teria fustigado. Dias depois, Alípio foi assassinado a tiros. O crime foi noticiado nas rádios e Fernando, réu confesso, foi preso, sendo libertado no ano seguinte, num tempo em que a "legítima defesa da honra" servia de argumento para justificar crimes de sangue. Jurado de morte pelos irmãos de Alípio (que também eram seus primos), Fernando deixou a esposa e caiu no mundo, estabelecendo-se nas bandas de Santa Fé do Sul, já na divisa com o Mato Grosso do Sul.

Sophia, por sua vez, desprezada pelos primos por ter incitado o irmão daquela maneira, era viúva quando deu à luz Maria do Carmo, em 1949. Pareceu-lhe um castigo. Frágil e torta, que era tudo que o repertório de Sophia lhe permitia ver, a menina só foi conseguir andar aos 4 anos, depois de passar em consulta com diversos médicos. Mesmo assim, a família credita o advento dos primeiros passos a padre Donizetti, pároco da cidade de Tambaú a quem eram atribuídos milagres de cura. Sophia levou Carminha para que ele a benzesse em 1952. Padre Donizetti seria beatificado pelo papa Francisco em 2019.

Naquele início de década, Sophia ainda tentou cuidar sozinha do sítio em que moravam, mas sua inépcia na agricultura, aliada à falta de experiência administrativa, fez com que ela se metesse em maus negócios e perdesse o dinheiro que tinha. Antes de falir, Sophia acabou se desfazendo do sítio e migrando para São Paulo com a prole a tempo de matricular Carminha na primeira série. Moraram no Jabaquara e, em seguida, no Itaim Bibi. Manoel e Beto, os dois filhos do meio, acabaram saindo de casa na virada dos anos 1960 – um se casou em São Paulo e o outro voltou para o interior. Carminha continuou morando com a mãe, mesmo depois que Daize também se casou e foi morar com o marido, já nos anos 1970. Agora, estavam novamente juntas, Sophia, Daize e Carminha, com as duas crianças, na edícula de 35 metros quadrados.

Quando Diogo fez 2 anos, Carminha optou por matriculá-lo numa creche particular na Cidade Dutra, com regime de educação integral. "Lá ele brinca com outras crianças e se desenvolve mais depressa, aqui ele só fica com adulto", a mãe justificava. Daize aproveitou a deixa para pegar a filha e mudar-se com Dani daquela casa: "Ele cresceu e minha irmã já não precisa tanto de mim. Já posso ir cuidar da minha vida."

Agora eram três os moradores do puxadinho. Sophia, Carminha e Diogo compartilhavam o único quarto, com três camas de solteiro enfileiradas. Carminha levava duas horas no trajeto de ida e outras duas horas no trajeto de volta entre o Socorro e a Fundação SEADE. Quase todo o tempo, Diogo ficava na escolinha. Sophia cuidava da casa e ficava com o neto quando o trabalho de Carminha apertava, exigindo horas extras ou compromissos nos fins de semana.

Daize e a filha voltavam com frequência, aos domingos e em dias de festa, de modo que Diogo e Dani viviam juntos. Mais do que primos, cresciam como irmãos, na casa e pelas ruas do Socorro. O quintal onde Sophia cultivava samambaias e espadas-de-são-jorge transformava-se em circo, em *shopping*, em navio pirata ou em castelo. Se alguma brincadeira mais agitada ou uma bola atingisse alguma das plantas, o grito da avó era certo.

Nas tardes de domingo, Carminha punha um disco de samba na vitrola e lá iam as duas crianças dançar no meio da sala. Aos 5 ou 6 anos, Diogo tinha um samba preferido: *Coisinha do pai*, com Beth Carvalho. Fazia a prima voltar a agulha para o início da faixa sucessivas vezes e cantava a letra de cabo a rabo: "Ô coisinha tão bonitinha do pai...". Logo ele, que cresceu sem ver uma fotografia do pai e sem saber que havia um homem chamado Átila, que era sambista e tocava violão.

Nos primeiros anos, Carminha havia esperado por uma visita ou um telefonema do cara por quem se apaixonara, mas, àquela altura, já não cogitava qualquer reencontro, tampouco cultivava planos de um dia conversar com o filho sobre o pai. Era como se Tilá nunca houvesse existido. Ela também não tinha perdido o pai antes mesmo de conhecê-lo? A história muitas vezes se repete, nem sempre como farsa.

Como rege a tradição, faltou "combinar com os russos". Aos poucos, a curiosidade de Diogo aflorava. Ou se fazia notar em gestos insuspeitados.

Certa vez, Dani viu o primo com um tênis novo e perguntou quem lhe havia dado.

— Foi meu pai — o menino respondeu.

O mesmo episódio se repetiu outras vezes. Dani sabia que o pai de Diogo tinha se mandado, que os dois nunca tinham se visto e que ele jamais lhe mandara um presente, mas ficava na dela, sem dizer nada.

Era Carminha quem dava todos os presentes. E cobrava os estudos. E mostrava os limites. E subia com Diogo no ônibus e ia mostrando a cidade.

Aos poucos, a atividade política foi se incorporando à infância de Diogo, ali mesmo, no Socorro. Carminha, Daize e Albertina militavam, desde o final de 1975, no Centro da Mulher Brasileira, um núcleo de pesquisas e práticas feministas que elas haviam fundado com outras colegas por ocasião do ano da mulher na ONU. Quando Diogo nasceu, elas também participavam do movimento de mulheres do MDB, o único partido de oposição autorizado pela ditadura militar, que deu origem ao PMDB em 1980.

Nas eleições disputadas em 1982, o engajamento delas se deu de forma natural. Naquele ano, os cidadãos puderam ir às urnas para escolher seus candidatos ao governo do Estado, ao Senado, à Câmara dos Deputados e à Assembleia Legislativa. Carminha e Daize apoiaram Franco Montoro, que viria a ser eleito para o Palácio dos Bandeirantes, e, no âmbito legislativo, optaram pelos quadros do PCB abrigados no PMDB. Como os comunistas permaneceram na ilegalidade até 1985, era comum, desde 1978, que o MDB oferecesse a legenda para que alguns quadros do Partidão pudessem concorrer. Alberto Goldman, que viria a governar São Paulo por nove meses em 2010, foi um deles. Ricardo Zarattini, de volta do exílio e novamente solto após uma segunda prisão política, em 1979, foi outro.

Uma regra havia sido inventada pelo tribunal eleitoral naquele ano para dificultar as coisas para os partidos mais novos, como o PT, que disputavam uma eleição pela primeira vez: ficou estabelecido o voto vinculado, ou seja, o eleitor era obrigado a escolher todos os candidatos do mesmo partido, do governador ao deputado estadual, sob pena de ter seu voto invalidado caso não o fizesse. Ou seja, se alguém fizesse questão de apoiar o velho Zara para a Câmara dos Deputados, ele automaticamente precisaria votar também no Montoro. Se ousasse tascar um voto no Zara, do PMDB, e outro no Lula, candidato a governador pelo PT, sua cédula iria para a lata de lixo. Era preciso orientar a população, principalmente os trabalhadores e as donas de casa. Também os locais de votação haviam mudado naquele ano, com a proliferação de zonas eleitorais.

Carminha e a irmã tiveram uma ideia. No dia do pleito, armaram uma mesa na calçada em frente à casa, no Socorro, abriram as listas oficiais de locais de votação, tabeladas conforme o número do título de eleitor, e puseram-se a chamar a vizinhança para conferir com elas o endereço para onde deveriam se dirigir a fim de não perderem a viagem. Assim, prestando um serviço aparentemente desinteressado, a dupla alertava para o risco de indicar nomes de partidos diferentes – os votos eram escritos à mão em papel naquela época – e sempre arrumava um jeitinho de entregar um panfleto para uma, escorregar um santinho para outro. Enquanto isso, conversavam em voz alta sobre suas convicções, sobre os candidatos que gozavam de sua confiança. Era como jogar verde. Se colar, colou. Terminado o horário de votação, as duas podiam garantir que haviam "feito a cabeça" de, pelo menos, vinte eleitores.

Na eleição de 1982, Diogo e Dani praticamente não desgrudaram daquela mesa. Ele com 3 anos e ela com 7, os dois sentiram prazer em debutar na política daquela forma. Orgulhavam-se de contribuir com o exercício da cidadania numa data tão importante para o cumprimento do dever cívico – embora nenhum dos dois tivesse a mais remota ideia do que significavam cidadania e dever cívico. Seja como for, os dois não se esqueceram daquilo. Tanto que, dali a quatro anos, na eleição de 1986, foram eles, com 7 e 11 anos, que assumiram a tarefa de orientar os eleitores do Socorro em frente ao portãozinho de madeira da Avenida de Pinedo.

De mãos dadas com a mãe, Diogo esteve nas manifestações por Diretas Já, em janeiro de 1984, na Praça da Sé, antes de completar 5 anos. Naquele mesmo ano, voou pela primeira vez de avião, com a mãe, a dra. Albertina e os filhos dela, na volta de um congresso de medicina em Porto Alegre. Carminha auxiliava Albertina nas pesquisas para sua dissertação de mestrado em ginecologia e obstetrícia, obtendo números e estatísticas, e a acompanhava em algumas viagens. Dessa vez, foram de ônibus, parando em Curitiba e Florianópolis, e voltaram de avião.

A partir de 1985, quando Albertina foi chamada pelo governo de São Paulo para implementar o Programa de Saúde do Adolescente no Estado, tornaram-se frequentes as palestras e os congressos sobre o tema. Uma vez, Carminha e Albertina se enclausuraram por uma semana num congresso sobre sexualidade e juventude em Itapecerica da Serra. Carminha levou Diogo. Albertina levou o filho Álvaro, com idade próxima à de Diogo. Os dois tinham cerca de dez anos. A salvação veio na forma de bola. Foi um alívio quando Diogo descobriu que havia uma quadra e que eles poderiam se divertir enquanto as mães maratonavam um seminário após o outro. Mas Carminha não se fez de rogada.

— De jeito nenhum, você precisa assistir aos painéis — insistiu com o filho pré-adolescente.

Albertina tentou socorrer os meninos.

— Mas, Carminha, eles têm 10 anos!

— E daí? Já tá na hora de saber das coisas. Eles têm que aprender.

Ficou estabelecido que os dois poderiam jogar bola apenas na hora do almoço. No segundo dia, Albertina percebeu que seria impossível mantê-los no auditório.

— Carminha, esse troço é muito chato, eles não vão aguentar.

— Assim você estraga os dois — a amiga rebateu. E dá-lhe falação sobre políticas públicas em saúde e sexualidade para crianças e adolescentes.

O esforço de Carminha em fazer com que Diogo trocasse a diversão na quadra por um seminário sobre sexualidade foi em vão. Só mais tarde o entusiasmo com a elaboração de políticas públicas fisgaria o menino do Socorro. Àquela altura, Diogo tinha um interesse maior que todos os outros: o futebol. Pelo rádio ou pela TV, o menino não perdia um jogo do Corinthians. Sabia declinar a escalação completa do time, a posição de cada atleta, o número da camisa, e ainda se metia a especular quem estaria no banco de reservas para opinar sobre as substituições mais adequadas conforme o desempenho de cada jogador. As peladas de fim de semana logo se transformaram em compromisso inadiável.

No Socorro, Diogo se juntava com a turma para o futebolzinho de várzea todo domingo de manhã. A geografia favorecia. À beira da represa, a terra era mais plana do que em outros lugares, e não faltava um terreno baldio ou um campinho para a garotada praticar. Como volante, meia-armador ou xingando o juiz na geral, Diogo exultava nas vitórias e enfurecia-se nas derrotas, o que costumava colocar a avó de sobreaviso.

— Fique longe do meu tanque!

Diogo tinha 11 anos quando o alvinegro obteve pela primeira vez o título de campeão brasileiro, em 1990. Até aquele ano, Diogo havia visto o time receber um único troféu, o do campeonato paulista de 1988. Outros três títulos paulistas tinham sido vencidos pelo "Timão" antes de Diogo completar 4 anos, o que, para ele, novo demais, não valia. Da fase áurea da Democracia Corintiana, caracterizada por um período de autogestão no clube, durante o qual as principais decisões, como contratação de jogadores ou as regras adotadas na concentração, eram submetidas a votação, sendo que o voto do roupeiro tinha o mesmo peso que o voto do técnico, Diogo guardara apenas as boas histórias, além dos dois títulos paulistas vencidos sobre o São Paulo em 1982 e 1983 e do fascínio pelas estrelas: Sócrates, Wladimir, Casagrande e Zenon.

Agora, em 1990, Diogo pôde finalmente soltar o grito de vitória represado por tanto tempo, e mais uma vez em cima do São Paulo. Foram duas vitórias por 1x0, tanto no jogo "de ida" quanto no "de volta", ambos disputados no Morumbi, numa época em que o Itaquerão ainda não existia e em que o estádio do Pacaembu, onde o time do Parque São Jorge costumava exercer o mando de campo, não comportava o público esperado numa final de campeonato. Se o São Paulo de Telê Santana entrou no gramado com atletas como Zetti, Cafu e Raí, ídolos do time que venceria a Libertadores da América e o Mundial de Clubes em 1992 e 1993, o Corinthians de Nelsinho tinha um craque chamado Neto, que tabelava no ataque com Tupãzinho, o homem do gol do título.

O troféu inédito de campeão brasileiro ajudou a consolidar a paixão de Diogo pelo time e pelo esporte. Não havia brincadeira, desenho animado, filme de ação ou paquera que despertasse nele entusiasmo semelhante. Quem conviveu com Diogo na adolescência há de se lembrar de um rapazote de meião, tênis e camiseta de time, ora com um pacotinho de Cheetos na mão, ora debatendo política, mas sempre, invariavelmente, planejando a próxima ida ao estádio ou o próximo rachão. Prioridades.

4

A gente pula o muro

A maioria dos colegas chegava de carro. Alguns vinham de ônibus. Diogo, aos 13 anos, era o único da turma que chegava de trem.

No primeiro semestre de 1992, o sorridente aluno da sétima série aprendeu a botar a mochila nas costas e a sair de casa uma hora antes do início da primeira aula. Caminhava por cerca de vinte minutos, cruzava a pé a Ponte do Socorro, entrava num vagão da Ferrovia Paulista S.A., a Fepasa (mais tarde linha 9-Esmeralda da CPTM), e sacolejava por nove estações até saltar na estação Pinheiros. Ali, bastava atravessar a rua para cruzar o portão do colégio.

O pessoal estranhava. Contavam-se nos dedos os alunos daquela escola que já haviam tomado um trem da Fepasa alguma vez na vida. Ou que frequentassem a Zona Sul, para além do Morumbi. Moradores da Vila Madalena, do Alto da Lapa ou do Butantã erguiam a sobrancelha quando o novo amigo dizia algo sobre a Capela do Socorro:

— Isso é nome de bairro ou de igreja?

— Fica em São Paulo?

— Já ouvi falar. É na Zona Leste, não é?

Era mais negócio dizer Interlagos. Desde que o Grande Prêmio do Brasil de Fórmula 1 trocara definitivamente o autódromo de Jacarepaguá, no Rio de Janeiro, pelo autódromo José Carlos Pace, em Interlagos, em 1990, não havia quem não soubesse da existência do bairro. Seus colegas podiam jamais ter pisado na Zona Sul, mas dificilmente ergueriam a sobrancelha ao escutar aquele nome. Ainda mais agora, com Ayrton Senna correndo (literalmente) atrás do tetra. A bem da verdade, para quem estivesse de carro ou tomasse o trem no sentido do Grajaú, Interlagos não ficava tão longe da casa do Diogo. Havia apenas a estação Jurubatuba entre as estações Socorro e Autódromo.

Pinheiros, por sua vez, era uma espécie de centro de distribuição de gente. A poucos metros da escola, havia dois importantes terminais de ônibus, um no Largo de Pinheiros e outro no Largo da Batata, aos quais convergiam trabalhadores dos quatro cantos da cidade. Para quem morasse no extremo da Zona Sul ou em cidades vizinhas como Embu, Taboão ou Osasco e precisasse chegar ao trabalho na Faria Lima, na Rebouças, na Teodoro Sampaio ou mesmo na Paulista, o caminho era pegar o trem ou algum ônibus até Pinheiros e, ali, tomar a segunda condução. Era o que Carminha fazia todos os dias. E também o que Diogo, aos 13 anos, já tinha aprendido a fazer.

No seu caso, não era preciso sequer fazer baldeação. Bastava transpor a catraca na estação Pinheiros e dar alguns passos para chegar ao número 276 da rua Capri. Ali, numa espécie de galpão convertido em salas de aula com uma modesta quadra nos fundos, funcionava a escola que sua mãe havia escolhido para ele.

O Colégio Equipe tinha a resistência à ditadura em seu DNA e havia construído uma sólida reputação, sobretudo entre as famílias progressistas, baseada não apenas no desempenho escolar dos alunos, mas na forma como incentivava posturas questionadoras, abordava temas sociais e influenciava a vida cultural de São Paulo. Não era propriamente um colégio tradicional, como o São Luís, o Dante Alighieri ou o Rio Branco, nem um colégio de elite, como o Santa Cruz ou o Bandeirantes. Havia se consolidado nos anos 1970 e 1980 com uma gestão nada convencional, improvisada por uma espécie de cooperativa de professores-fundadores – uma escola sem dono nem patrão, portanto –, movida pelo imperativo de criar o colégio quando o Equipe ainda era somente um cursinho pré-vestibular.

Sua origem remonta aos anos de chumbo. Quando os militares tomaram o poder, o grêmio estudantil da Faculdade de Filosofia, Ciências e Letras da USP (FFCL) mantinha um curso preparatório para o vestibular, o Cursinho do Grêmio, que praticava preços módicos, empregava estudantes da própria universidade como professores e adotava programas distintos conforme a área de interesse do candidato: exatas, humanas ou biológicas. As aulas eram oferecidas em três diferentes endereços: na rua Martim Francisco, na rua Albuquerque Lins e na Avenida Liberdade. Após o golpe de 1964, a despeito das batidas policiais que passaram a acontecer a fim de fiscalizar os materiais impressos na gráfica do grêmio, e das suspeitas de que agentes se infiltravam nas aulas para anotar episódios de proselitismo político ou doutrinação ideológica, as aulas foram mantidas e o desempenho dos alunos nos exames de admissão seguia satisfatório.

Para os dirigentes do grêmio, que, em sua maioria, também militavam numa organização de esquerda chamada Ação Popular (AP), com origem na Juventude Universitária Católica, a estrutura do Cursinho desempenhava um papel estratégico. Além de servir como espaço de formação política dos estudantes, o Cursinho do Grêmio também ajudava a financiar atividades políticas, uma vez que um percentual do dinheiro recebido como mensalidades era usado no movimento estudantil.

Em outubro de 1967, no entanto, uma chapa de oposição venceu a eleição para o Grêmio. Não era uma chapa de direita, adesista ou situacionista, mas formada majoritariamente por militantes de outro grupo de esquerda, a Organização Revolucionária Marxista Política Operária (POLOP), uma dissidência do Partido Comunista inclinada a optar pela guerrilha como forma de derrubar a ditadura. Como, aparentemente, não se faz movimento estudantil sem dividir o campo progressista numa miríade de correntes e tendências, a substituição da AP pela POLOP na condução do Grêmio da FFCL no final de 1967 provocou abalos sísmicos nas relações entre os dois grupos e acabou respingando no Cursinho.

Numa segunda-feira de dezembro, mais da metade dos professores e todos os coordenadores foram dispensados pela nova gestão do Grêmio assim que chegaram para dar aula. Não puderam sequer entrar nos prédios. Enquanto professores substitutos dirigiam-se às salas, centenas de alunos, surpresos, optaram por aguardar na rua, recusando-se a entrar e a trocar de professor àquela altura do campeonato. Os docentes depostos tiveram de encontrar um espaço às pressas que lhes permitisse encerrar o ano.

Concluídas as aulas e os simulados de 1967, o grupo de educadores demitidos voltou a se reunir em janeiro de 1968 para decidir o que fazer. Jocimar Archangelo, diretor-geral do Cursinho do Grêmio que havia sido cassado no mês anterior, pediu a palavra para expor suas impressões. Começou dizendo que o Grêmio da Faculdade de Filosofia, agora sob nova direção, tinha direito à marca e aos prédios nos quais as aulas eram oferecidas, mas que ali, na sala em que se reuniam naquele instante, estavam duas coisas, mais importantes do que o nome e o prédio, que ninguém poderia tirar deles: a experiência e o reconhecimento. A reação dos alunos no final do ano, ele dizia, havia sido uma demonstração da confiança que depositavam neles.

Palmilhando um caminho de incertezas, Jocimar sugeriu aos colegas fundar o próprio cursinho.

Nas semanas que se seguiram, os professores iniciaram uma espécie de cooperativa, conseguiram junto à Cúria Metropolitana um edifício na rua Imaculada Conceição, próximo à Santa Casa de São Paulo, pelo qual pagariam um aluguel abaixo do preço de mercado, rabiscaram um logotipo e lançaram o Equipe Vestibulares a tempo de abrir as "turmas de maio".

A novidade foi amplamente divulgada, com panfletagem em colégios e anúncios nos jornais, e um número bastante expressivo de estudantes acompanhou a nova proposta. À medida que os alunos começaram a se matricular, os professores-fundadores do Equipe puderam honrar as dívidas, resolver problemas de infraestrutura e deixar as contas no azul. Tudo o que entrava era usado para pagar os salários dos funcionários. O que sobrasse era reinvestido na própria estrutura do Equipe.

Em 1971, no auge da repressão, enquanto o DOPS vigiava de perto diretores e professores, o Equipe reunia mais de 3 mil alunos. Em dois anos, as finanças já estavam equacionadas e o cursinho era um sucesso – o que permitiu aos fundadores sonhar com voos mais altos. A preparação para o vestibular já não bastava.

Decidiram, então, abrir uma turma de madureza, a Educação de Jovens e Adultos (EJA) da época, que permitia a alunos com mais de 18 anos cursar os três anos do colegial, atual Ensino Médio, em apenas dois semestres. No ano seguinte, num movimento ainda mais ousado, o Equipe anunciou matrículas para o Ensino Médio convencional. Foi assim que, em 1972, o Equipe Vestibulares se transformou em Colégio Equipe. O curso ginasial – hoje Ensino Fundamental II – seria implementado em seguida.

Agora, o Equipe já não ocupava o prédio da Cúria Metropolitana na rua Imaculada Conceição, mas um enorme palacete na rua Caio Prado, entre a rua Augusta e a rua da Consolação, onde havia funcionado, até 1969, um dos mais tradicionais colégios de freiras de São Paulo, o Des Oiseaux, exclusivo para moças. O prédio era tão grande que comportava todos aqueles cursos e mais um pouco. Cursinho, supletivo e Ensino Médio funcionaram ali, simultaneamente, entre 1972 e 1974, quando foi preciso migrar novamente, dessa vez para a rua Martiniano de Carvalho. Numa ação polêmica e controversa, o histórico prédio da Caio Prado, com inegável valor histórico, foi demolido às pressas para dar lugar a um enorme empreendimento imobiliário.

Por ironia do destino, ou maldição da turma despejada naquele ano, tais torres jamais seriam construídas. Após uma extenuante disputa judicial entre construtoras e organizações da sociedade civil, o projeto seria embargado em definitivo em meados dos anos 2010. O amplo terreno, uma revigorante área verde com 25 mil metros quadrados a poucos metros da Praça Roosevelt, seria transferido à Prefeitura em 2015, após intervenção do Ministério Público Estadual, e transformado no Parque Augusta, inaugurado no final de 2021.

Foi no prédio da Martiniano de Carvalho que o Equipe se consolidou como colégio, entre 1975 e 1981. Quando finalmente se instalou na rua Capri, em Pinheiros, em 1982, o Equipe já havia peregrinado por três endereços e construído uma reputação consistente, alicerçada no pensamento crítico, na oposição à ditadura e numa intensa produção artística e cultural.

Para Carminha, não havia colégio em São Paulo com uma história tão inspiradora, nem com o mesmo compromisso com a liberdade, a autonomia e a democracia. Ao longo dos anos 1980, ex-alunos do Equipe se destacavam na música, no cinema e nas artes plásticas. A banda de rock Titãs havia surgido na escola, onde estudaram oito dos nove músicos da formação original: Arnaldo Antunes, Paulo Miklos, Nando Reis, Sérgio Britto, Branco Mello, Marcelo Fromer, André Jung e Ciro Pessoa. O apresentador Serginho Groisman não apenas havia estudado lá como dirigira o Centro Cultural do Equipe, levando para o teatro do colégio alguns dos artistas mais representativos dos anos 1970, como Jorge Mautner, Jards Macalé, Luiz Melodia, Gilberto Gil e Alceu Valença.

Outros ex-alunos, como a cantora Mônica Salmaso, o cineasta Cao Hamburguer e o artista plástico e escritor Nuno Ramos também haviam deixado sua marca na escola – e, principalmente, haviam sido marcados por ela. José Genoino, um dos poucos sobreviventes da Guerrilha do Araguaia e preso político por cinco anos, tinha conseguido um emprego como professor de História naquele colégio ao sair da cadeia, em 1977, e permanecera ali até assumir uma cadeira como deputado federal, pelo PT, em 1983.

Tudo isso funcionava como um canto do cisne aos ouvidos de Carminha, de modo que ela meteu na cabeça que Diogo tinha de estudar naquele lugar. Tratou de agendar uma reunião com um dos diretores e saiu com a promessa de uma bolsa de 50%. Ela daria um jeito de pagar o restante, mesmo que isso significasse atrasar mensalidades, renegociar a dívida e, com frequência, aceitar a ajuda providencial da amiga Albertina. Quando terminou de pagar as mensalidades, o filho já cursava o segundo ano da faculdade.

Ao ingressar no Equipe no início da sétima série, hoje oitavo ano, momento em que poucos trocam de escola, Diogo sentiu-se acanhado. A despeito da gestão democrática e do engajamento político da maioria dos pais e professores, era tudo muito diferente da realidade com a qual ele estava acostumado na Escola Desenvolvimento, também na Zona Sul, onde ele cursara os seis primeiros anos do Ensino Fundamental. Agora, nove entre dez colegas chegavam de carro. Usavam marcas de tênis, roupa e mochila que sua mãe não poderia comprar. Aos 12 ou 13 anos, alguns já saíam da escola depois da aula e iam tomar cerveja ou fumar maconha nos arredores do Largo de Pinheiros.

Diogo arregalava os olhos e torcia o nariz. Com uma responsabilidade acima da média, incutidos desde cedo pela mãe, Diogo não saía da linha. Conservador nos costumes, o Diogo adolescente não podia nem ouvir falar em drogas. Cuidava de suas coisas com esmero, porque aprendera a preservar cada caderno e camiseta. À primeira vista, transmitia a imagem de "filhinho da mamãe", o filho único que chegava sempre com a roupa impecável e o material organizado. E era isso mesmo: o cuidado de Carminha com o menino não encontrava paralelo nas outras famílias da escola, ao mesmo tempo em que Diogo, ciente dos esforços da mãe para que ele pudesse estar naquele colégio e vestir aquelas roupas, retribuía com o mesmo zelo.

Foi também nos primeiros meses de Equipe que Diogo entendeu o quanto seu cabelo e sua pele eram diferentes. Eram todos brancos em sua sala. Criado por uma mãe, uma tia e uma avó brancas, sem jamais ter visto nem mesmo uma foto do pai preto, Diogo crescera sem referências em relação à própria negritude nem elementos que lhe permitissem elaborar uma identidade racial. Hábitos culturais transmitidos de geração em geração que, usualmente, contribuem para incutir a sensação de pertencimento, como a prática de religiões de matriz africana, a roupa branca às sextas-feiras, o jogo da capoeira, o toque dos atabaques, as rodas de samba ou o uso de determinados penteados e padrões de tecido, nada disso havia na casa de Diogo, o que pode ter contribuído para adiar certa consciência racial que apenas mais tarde começou a se combinar à sua consciência de classe – esta, sim, forjada desde cedo pelas mãos de Carminha.

Aos poucos, Diogo foi cavando seu espaço na nova escola. O sorriso franco, a generosidade, uma simplicidade autêntica e o interesse sincero em trocar experiências lograram fazer de Diogo uma quase unanimidade. Ele era o tipo de cara que se enturmava facilmente e não brigava com ninguém. Não fazia *bullying* e também não o sofria. Se ouvia alguém falando mal de um colega, logo ficava sério, repreendia o amigo ou a amiga e tratava de expor um contraponto, destacando uma qualidade da pessoa em questão.

Uma estratégia parecia funcionar melhor que todas as outras na hora de quebrar o gelo e fazer novas amizades: o futebol. Em poucas semanas, Diogo já era titular no time da turma.

Dois de seus primeiros grandes amigos no Equipe tinham, como ele, mania de correr para a quadra assim que tocava o sinal do recreio. E voltavam a jogar após a última aula. Deu *match*, apesar de serem ambos são-paulinos, a ponto de Diogo logo adotar o generoso hábito de acompanhá-los ao estádio do Morumbi a fim de assistir aos jogos do tricolor. E ia para valer, no meio da torcida Dragões da Real, num ano em que o time treinado por Telê Santana não apenas venceu o Campeonato Brasileiro como iniciou sua jornada rumo ao bicampeonato mundial de clubes, conquistado em 1992 e 1993.

Não bastasse andar juntos para cima e para baixo, os três amigos ainda tinham o mesmo nome. Rapidamente, deram um jeito de evitar confusão: Diogo Matheus, o mais alto, virou Diogão; Diogo Moyses manteve-se Diogo; e Diogo de Sant'Ana se tornou Dioguinho. Muitos anos depois, ele continuaria lembrado como "Dioguinho" por colegas e professores.

Dioguinho era tão maluco por futebol que assistia aos jogos do time de seus amigos mais do que eles mesmos. E não apenas do São Paulo, em ótima fase, mas também do Santos, sem disputar um título desde 1984, e do arquirrival Palmeiras, que amargava um constrangedor jejum de quinze anos.

Aos domingos, fazia a turma acordar cedo para ir jogar bola no Ibirapuera. Às 8 horas, já estava trocando ideia com quem estivesse pelos campinhos do parque a fim de se juntar a eles. Jogava com todo mundo. Metia as caras, conferia as regras e partia para o gramado, só parando de jogar depois de pelo menos noventa minutos de diversão. Era esse o esquema onde estivesse, no Ibira, no Equipe ou no Socorro.

Embora passasse a maior parte do tempo jogando bola ou assistindo aos jogos, Dioguinho não descuidava dos estudos. Em geral, evitava a turma do fundão, a não ser nas excursões, quando tinha predileção pelas últimas fileiras do ônibus, onde sempre rolava um pagode. Nunca faltava, fazia todos os trabalhos com capricho e raramente aprontava.

Uma das raríssimas infrações cometidas por Dioguinho rolou ainda em seu primeiro ano de Equipe, mas teve motivação justa. Naquela época, os alunos do Ensino Médio podiam matar aula, inclusive sair do colégio durante o horário escolar. A direção entendia que os portões deviam ficar abertos, o que ajudaria a desenvolver a autonomia dos jovens. Aos alunos do Ensino Fundamental, no entanto, não era facultada a mesma liberdade. Deixar o espaço da escola antes do término da última aula não era permitido aos mais novos. E, se não era permitido, Dioguinho nem cogitava.

Até que, numa terça-feira de agosto, ainda em 1992, circulou a notícia de que a União Nacional dos Estudantes (UNE) e a União Brasileira dos Estudantes Secundaristas (UBES) estavam convocando para uma megamanifestação naquela mesma tarde. A ideia era juntar uma multidão no vão do MASP, na Avenida Paulista, e marchar até a Faculdade de Direito do Largo de

São Francisco, próximo à Praça da Sé, para pedir a saída do então presidente da República, Fernando Collor de Mello, sobre quem recaíam graves denúncias de corrupção. Uma CPI havia sido instalada em junho e caminhava para a aprovação da abertura do processo de *impeachment*.

— A gente precisa ir a essa passeata — provocou o amigo Diogo Moyses.

— Impossível — Dioguinho reagiu.

— Vai todo mundo. O povo do colegial está indo em peso.

— Mas eles podem sair, a gente não.

— A gente pula o muro — o xará propôs.

— Não rola.

Dioguinho sabia que uma das condições impostas pela direção do colégio para lhe conceder a bolsa de 50% era que ele não se metesse em "encrencas". Nada de notas vermelhas e de faltas não justificadas. Burlar as regras poderia ser fatal.

— Mas é importante — Diogo Moyses insistiu.

Foi um dos dias mais tensos da trajetória escolar de Dioguinho. Aos 13 anos, o garoto pesou os prós e os contras, pensou no imperativo de derrubar o presidente que havia confiscado as poupanças e liderado um grande esquema de tráfico de influência e desvio de dinheiro para uso pessoal, e acabou tomando a decisão que lhe pareceu mais acertada.

— Fora, Collor! Fora, Collor! — Dioguinho cantava, a plenos pulmões, descendo a pé a rua da Consolação e acompanhado por um coro de 15 mil vozes (10 mil, segundo a PM; 20 mil, segundo os organizadores).

Foi o primeiro grande ato da campanha pelo *impeachment*. Dali a duas semanas, também numa terça-feira, houve nova manifestação e, dessa vez, as aulas foram canceladas para que todos os alunos pudessem comparecer. Naquela tarde, 400 mil estudantes tomaram o Anhangabaú. Ninguém seria capaz de conter aquele movimento.

5

Voz Ativa

— Mais uma política assistencialista de merda. Essas campanhas de distribuição de alimentos não têm nada de revolucionário. Onde já se viu atribuir à classe média a responsabilidade de acabar com a fome por meio de doações?

Dioguinho ouvia o discurso da namorada e pensava que ela tinha razão em muitas coisas, mas que, nesse assunto, ela não deveria colocar as coisas em termos excludentes. O combate à fome, na sua opinião, não deveria ser adiado nem condicionado daquela maneira. Disponibilizar alimento é tarefa emergencial, a coisa mais emergencial do mundo, e nenhum esforço nesse sentido deveria esbarrar em críticas como as de Vera. As doações poderiam caminhar lado a lado com políticas estruturantes.

— Campanhas como essa, do Betinho, não mexem no que é estrutural em relação à fome — ela insistia, referindo-se aos núcleos de arrecadação de donativos da Ação da Cidadania Contra a Fome, a Miséria e pela Vida, coordenada pelo sociólogo mineiro Herbert de Souza. — O que elas fazem é reproduzir um modelo de sociedade fadado a se manter desigual, que não constrói a cidadania nem promove a percepção da alimentação adequada como um direito.

Vera era assim: intensa, rebelde, afiada. Já havia lido Marx, e mais de uma obra. Precoce, agia como se tivesse dois ou três anos a mais do que o resto da classe, embora somasse, no segundo semestre de 1993, os mesmos 14 anos de Dioguinho.

A formatura do Ensino Fundamental se aproximava e seria celebrada numa viagem a Ilhabela (SP). O governo tampão capitaneado por Itamar Franco apostava numa espécie de concertação nacional para encerrar um primeiro ano de calmaria após os desastrosos três anos de Fernando Collor. E o Corinthians, numa de suas piores campanhas da década, fechava 1993 sem nenhum título, depois de perder a final do Campeonato Paulista para o Palmeiras - que encerrou ali um jejum de dezesseis anos sem títulos - e amargando um desconfortável terceiro lugar no Campeonato Brasileiro, depois de ter fechado a primeira fase em primeiro lugar, com 85% de aproveitamento.

"Azar no jogo, sorte no amor", diria Diogo, profundo conhecedor de axiomas e ditados populares. A propósito, seu repertório era imenso. Não lhe escapava um, principalmente os jocosos e irreverentes. "Sabe qual meu prato preferido?", ele costumava provocar. "O prato cheio". "E sabe qual o número do meu sapato? Pé de pobre não tem número. Pode me dar qualquer número que eu aceito."

Dioguinho, o menino que só pensava em jogar bola e que nunca tinha namorado ninguém, estava agora apaixonado por Vera, a garota que lia os clássicos, ouvia rock, bebia e fumava maconha. Ela, que já tinha ficado com outros rapazes, a maioria mais velha, esforçava-se para afastar a constrangedora sensação de estar gostando de um menino alguns meses mais novo do que ela e tão inexperiente. No segundo semestre da oitava série, os dois acabaram se beijando e o namoro engatou.

Vera Cotrim foi a primeira paixão de Dioguinho, a primeira namorada, a primeira vez. Durou um ano, mas um ano cheio de descobertas, memorável como nenhum outro. Vera apresentava ao namorado suas bandas preferidas e insistia para que ele, que nunca tinha tomado um gole de álcool ou colocado um baseado na boca, deixasse de ser tão "careta". Dioguinho insistia para que a namorada o visse jogar e, aos poucos, foi arrastando a moça para o Pacaembu e para as rodas de samba.

Vera foi a primeira garota que Dioguinho levou para conhecer sua casa e a primeira a passar a noite lá, o que exigia jogo de cintura e alguma resignação, sobretudo por parte dela. Carminha não permitia que dormissem juntos. O casal podia ficar no sofá até meia-noite e, em seguida, o filho tinha de ir para a cama, no único quarto da casa - a mãe de um lado, a avó do outro -, enquanto Vera dormiria na sala: um cômodo estreito, com um pequeno sofá e uma estante abarrotada de livros.

— Sua mãe acha que a gente é criança — a jovem reclamava.

— Não, ela sabe muito bem que a gente já não é criança, aí é que está — ele respondia.

Para Sophia, a avó desprovida de modos, bastou flagrar um amasso dos dois para atribuir à namorada do neto a pecha de "vagabunda". E, aos 78 anos, a ofendia em voz alta, sem papas na língua. Já Carminha era toda coração. Acolhia a "nora" com carinho. Levava o casal para passear. No verão de 1994, arrumou um apartamento emprestado no Guarujá e levou o casal para passar uma semana na praia. No Carnaval, foram os três para o sambódromo do Anhembi, assistir ao desfile da Gaviões da Fiel. Dançaram, comeram cachorro-quente e acabaram vencidos pelo sono e o cansaço antes que a mais corintiana das escolas, a última da noite, entrasse na avenida.

Ao lado de Vera, Dioguinho deixou o cabelo crescer, o suficiente para exibir um crespo de responsa, quase um *black power*. Ao lado de Dioguinho, Vera entrou pela primeira vez num trem da FEPASA e num ônibus da Gaviões para ver um jogo no estádio. Quando Dioguinho se empolgava demais ouvindo pagode, embalado por grupos como Exaltasamba, Molejo e Só pra Contrariar, a namorada politizava.

— Nem tudo que é popular é bom — ela argumentava.

— Mas a gente tem que defender aquilo que é do povo — ele retrucava.

— Nem tudo. Você confunde a defesa do povo com um julgamento estético do que é popular. São coisas diferentes. Não devemos enaltecer tudo que é popular só porque é feito pelo povo ou porque o povo gosta. Tem muita bosta popular.

As discussões se arrastavam por horas, às vezes dias, e influenciavam as escolhas políticas, os trabalhos de escola, a formação pessoal e o comportamento de cada um.

Passado o Carnaval, o ano letivo começou com um debate político muito rico. Haveria eleição para presidente em outubro, e Dioguinho não estava ali a passeio. Junto com alguns amigos, entre eles o xará Diogo Moyses e a colega de sala Maíra Bühler, Dioguinho criou um comitê pró-Lula dentro do Equipe. Ao longo de meses, produziam textos e materiais de campanha, buscavam folhetos e adesivos nos diretórios do PT, combinavam estratégias de distribuição. Na reta final, o trio chegava às 5 horas da manhã para panfletar na Estação Pinheiros da FEPASA.

Dioguinho, com seu jeito simples e uma sensibilidade fora do comum para dialogar, versado no tom e na linguagem da periferia, não se contentava em distribuir folhetos. Ele ia à estação disposto a conversar, a "ganhar os votos", como ele dizia. Quando ouvia um comentário depreciativo, uma ofensa ao candidato "analfabeto", ao político que "não sabia nem falar" ou que tinha "cortado um dedo de propósito para receber indenização", segundo a falácia da época, Diogo engatava uma conversa cordial, ouvia, ponderava, propunha outro olhar, apresentava uma nova perspectiva.

— A gente precisa ir além da nossa zona de conforto — pontificava.

Em setembro, mergulhou fundo em outra tarefa: promover um debate, no colégio, com um representante de cada candidatura. Para garantir o consentimento da direção, ficou acertado que o encontro reuniria lideranças das juventudes dos partidos, uma forma de justificar a realização de uma mesa como aquela dentro da escola. Desde a eleição presidencial anterior, a primeira eleição direta após quase trinta anos, os jovens acima dos 16 anos poderiam votar, embora não fossem obrigados, o que punha em disputa os corações e as mentes da maior parte dos alunos do Ensino Médio.

Mesmo quando as pesquisas de intenção de voto indicavam um crescimento exponencial da candidatura de Fernando Henrique Cardoso, o ex-senador do PSDB que se apresentava como pai do Plano Real - um pacote econômico que se mostrara bem-sucedido no combate à inflação e que contribuíra, em poucos meses, para aumentar o poder de compra da população -, Diogo seguia firme com o propósito de apresentar o PT e as principais propostas do sindicalista que quase vencera a eleição anterior e que havia se preparado como nenhum outro naquele intervalo recente, elaborando projetos importantes e viajando o Brasil de Norte a Sul nas chamadas Caravanas da Cidadania.

Dioguinho entendia a política como um campo em permanente disputa. E, se não fosse daquela vez, nem por isso as sementes seriam descartadas e seu empenho seria em vão. Haveria uma próxima eleição, e depois outra, de modo que, certamente, dali a quatro ou oito anos, o país acabaria optando por um governo popular e de esquerda.

Terminada a aula, o trio corria para buscar material de campanha nos comitês, participava de reuniões nos diretórios regionais de Pinheiros, Butantã e Santo Amaro, e voltava a acordar cedo no dia seguinte para começar tudo de novo.

— Tá parecendo quando o campeonato entra nas últimas rodadas — o amigo Diogo comparava.

— Até a partida final, ninguém dorme — Dioguinho decretava.

Os jogos de futebol, por sua vez, continuavam acontecendo, em paralelo, e consumiam o tempo que sobrava. No Ensino Médio, as aulas de educação física eram divididas por modalidade, de modo que os três "diogos" se inscreveram em futebol de campo. E como não havia campo de futebol no Equipe, as aulas migraram para a sede do Marítimo Futebol Clube, no Itaim Bibi, vizinho ao Circo-Escola Picadeiro, onde mais tarde seria construído o Parque do Povo.

Não demorou para que Dioguinho fosse convidado para fazer parte do time do Equipe e integrar o elenco que disputava campeonatos interescolares em nome do colégio. O convite fez aumentar ainda mais sua dedicação ao esporte. Muitas vezes, ficava até altas horas batendo bola no campo do Itaim e ia dormir na casa do Diogão quando ficava tarde demais para pegar o trem até Socorro. Havia fases em que ele recorria à mesma estratégia por noites seguidas, apenas para poder se dedicar aos treinos por mais tempo. Depois passava um número equivalente de noites na casa do outro Diogo, sem pressa de voltar para casa. A alegria de Dioguinho estava na rua, na arquibancada, no gramado, na casa dos amigos, onde as possibilidades eram infinitas e o horizonte parecia muito mais amplo do que o quarto que ainda dividia com a mãe e a avó.

Agora, aos 15 anos, sua rotina passou a incluir o *pit stop* no boteco após as partidas e as reuniões políticas. Dioguinho finalmente se rendeu às bebidas alcóolicas e se revelou um grande apreciador de cerveja. Aos domingos, carreata, panfletagem, comício e, é claro, Sport Clube Corinthians Paulista.

Naquele final de ano, seu time bateu duas vezes na trave. Ficou em segundo lugar no Brasileirão, perdendo mais uma vez para o Palmeiras, e seu candidato a presidente foi novamente derrotado, já no primeiro turno, para o "pai do Real". O namoro com Vera também acabou, mais ou menos na mesma época, o que contribuiu para inaugurar uma fase até então inédita na vida de Dioguinho, repleta de bares e "pegação". Entre o final de 1994 e o final de 1996, o rapaz adquiriu o hábito de vestir seu melhor colete, domar os cabelos cacheados - agora sem a juba do ano anterior - e ir para a balada.

Alguns bares de Pinheiros e da Vila Madalena eram especialmente visados pela turma do colégio. Iam com frequência ao Sujinho, na esquina da rua Mourato Coelho com a rua Aspicuelta, e ao Empanadas, na rua Wizard, dois botecos que praticavam preços relativamente baixos para a região e que ficavam abertos até mais tarde, absorvendo quem quisesse apenas beber cerveja, como eles. Perto dali, na rua Purpurina, o Bambu oferecia música ao vivo. Já no Big Smalls, na rua Arthur de Azevedo, o programa era alugar uma mesa de sinuca e passar horas tomando cerveja em copo americano. Depois da meia-noite, desciam a pé até os pagodes do Largo de Pinheiros. Por ali ficavam também os melhores clubes de forró da cidade, como o Remelexo, na esquina da rua Ferreira de Araújo com a rua Pais Leme, e o KVA, no finalzinho da rua Cardeal Arcoverde, onde, nos anos 1990, a moçada da USP e dos colégios da Zona Oeste se misturava aos trabalhadores dispostos a adiar a volta para casa.

Mas o que Dioguinho curtia mesmo era ir ao Reggae Night, uma balada em Interlagos, perto de sua casa, onde se ouvia *reggae* à beira da represa numa pista com teto retrátil. Ali, ele se sentia em casa. Calibrava a máquina com algo entre quatro e oito latinhas de cerveja e punha-se a dançar, sem pausa para descanso. Invariavelmente, beijava alguém. Os amigos do Equipe tiravam sarro, diziam que ele não tinha critério, que ele "pegava mulher feia". Dioguinho, convencido de que não era um rapaz bonito nem atraente, e que ainda por cima estava acima do peso, parecia não se importar.

— Aqui eu me garanto — ele respondia, quase esnobe, satisfeito por estar feliz e acompanhado, enquanto os amigos mais "exigentes" davam murro em ponta de faca por horas e, quase sempre, encerravam a noite no zero a zero.

Nas festas ou nos bares, Dioguinho tinha sempre um motivo a mais para se preocupar. Aonde quer que ele fosse, era preciso definir como voltar para casa ou onde ele poderia passar a noite. Não havia dinheiro para táxi, e tanto o trem quanto os ônibus paravam de circular normalmente às 23 horas e só voltavam a trafegar por volta das 5 horas. Também por isso, Dioguinho adquiriu o hábito de ser o último a ir embora. Dançava, muitas vezes sozinho, com uma animação surpreendente, até o som ser desligado e a balada fechar. Quando isso acontecia, geralmente já dava para andar até o ponto. Em meia hora, no máximo uma, o ônibus passaria, levando-o de volta para casa, onde chegava já com o dia claro. Se a festa era na casa de alguém e os convidados fossem embora antes das 3 horas, aí a coisa complicava um pouco. Dioguinho ia ficando, ia ficando, e acabava tendo de acampar por ali mesmo, o que às vezes o deixava sem graça.

— A festa acabou — avisava o dono da festa.

— Sabe o que é, eu preciso esperar amanhecer para poder pegar o ônibus.

Provavelmente por isso, qualquer que fosse a atividade planejada, Dioguinho era sempre o primeiro a se certificar de que todos sabiam onde era, se tinham como ir e como voltar. Aos 15 anos, aprendera a se localizar em São Paulo como poucos. E, para a maioria dos lugares, sabia exatamente qual linha de ônibus, trem ou metrô tomar - e adiantava-se em ensinar os colegas, declinando o destino, o número da linha e, não era raro, a localização do ponto mais próximo.

Passado o rescaldo da derrota na eleição de 1994, o mesmo trio que criara o comitê pró-Lula entendeu que, fora da representação política tradicional, dos cargos eletivos, também havia muito espaço para atuar na sociedade civil, e que o colégio seria um ambiente propício para uma construção coletiva oportuna.

Se o Brasil seria governado por um projeto neoliberal pelos quatro anos seguintes, no mínimo, seria bom se preparar para fazer os enfrentamentos e contrapontos necessários, e, principalmente, criar canais institucionais capazes de veicular uma narrativa diferente da martelada pelo governo e pelos meios de comunicação tradicionais. Por que não reivindicar o grêmio?

O grêmio do Equipe vivia um apagão institucional naquele finalzinho de 1994. Na concepção de Dioguinho e seus amigos, a chapa que havia vencido a eleição no início do ano não levava o grêmio a sério. Tanto é que havia escolhido um nome escrachado para a chapa – "Maurício Kubrusly", uma referência a um repórter da TV Globo que costumava produzir matérias irreverentes para o *Fantástico* – e nada de relevante havia feito ao longo de um ano tão mobilizador. A gota d'água, ainda na concepção de Dioguinho, foi enviar delegados em nome do Equipe para participar do congresso da UBES e votar a favor da chapa da União da Juventude Socialista (UJS), sem que em nenhum momento tivesse sido debatido ou explicitado ao conjunto de alunos que aquele grêmio tinha relação com a UJS, institucionalmente vinculada ao PCdoB.

Fato é que, no comecinho de 1995, ainda no rescaldo da segunda derrota do PT nas urnas, o núcleo duro do comitê pró-Lula anunciou que concorreriam ao grêmio naquele ano. Formaram a chapa Voz Ativa, começaram a divulgar as propostas em março e, em abril, foram aclamados por W.O., sem chapa adversária. O próprio pessoal da Maurício Kubrusly, da qual faziam parte alunos que mais tarde seriam conhecidos nacionalmente, como o escritor Antônio Prata, o jornalista e tradutor Paulo Werneck e o publicitário Renato Meirelles, especialista em pesquisas, preferiu encerrar a carreira.

Na primeira edição da *Revista Voz Ativa*, um pasquim de doze páginas em formato A4 impresso em maio de 1995, a lista de membros do grêmio elencava 23 nomes. Vera, a ex-namorada, era uma das integrantes da chapa. Sua irmã gêmea, Ana, e o respectivo namorado, Tomé, também compunham o grupo, embora todos esses, já naquela época considerados marxistas radicais pelos colegas, pouco frequentassem as reuniões e as principais agendas do grêmio. O núcleo duro do Voz Ativa, por assim dizer, era formado pelos três "diogos" e pelos amigos Maíra Bühler, Gabriel Di Pierro (filho do ex-deputado do PT e ex-líder estudantil Geraldo Siqueira), Paulo Pastorelo e Tomás Vieira, todos eles mais ou menos engajados no comitê pró-Lula no ano anterior.

Por dois anos, e até se formar, não houve uma semana em que Dioguinho não dedicasse parte significativa de seu tempo a alguma atividade do grêmio: uma festa a produzir, um artigo a escrever para a revista. Dioguinho arranjava tempo para tudo. E surpreendia pela versatilidade, pela capacidade de desenrolar todas as tarefas que se comprometia a executar e pela capacidade de aglutinar forças, de contemplar os diferentes grupos, as diferentes demandas.

No terceiro ano, propôs e organizou um torneio de truco, emplacou um festival de grafitagem e defendeu com unhas e dentes a inusitada proposta de promover uma festa no Columbia, uma balada de música eletrônica frequentada por "mauricinhos" e "patricinhas", de gel e sapatênis, num dos endereços mais icônicos da (endinheirada) noite paulistana: a esquina da rua Estados Unidos com a rua Augusta, nos Jardins.

— Você bebeu? Festa no Columbia? Não tem como dar certo — um dos colegas tentou dissuadir.

— Claro que vai dar certo — Dioguinho bancou a proposta. — A gente pode cobrar uma baba e botar trezentas pessoas lá dentro, com *open bar*, que a festa se paga e ainda dá lucro. E ainda vamos sair bem na fita, tendo feito algo que nenhum colégio fez e agradando a ala mais *playboy* da escola.

Deu certo. Exatamente como Dioguinho havia previsto. Durante semanas, não se falou em outra coisa no colégio. O sucesso daquela festa, mais do que todas as outras, ajudou a enterrar definitivamente as lembranças nem sempre positivas que haviam ficado de outra festa, uma das primeiras organizadas por aquela gestão, ainda no primeiro semestre de 1995, quando o Voz Ativa arrastou mais de mil pessoas para um casarão na Avenida Paulista, tombado pelo patrimônio histórico. Como o aluguel daquele palacete era uma facada e o grêmio não tinha dinheiro em caixa, os diretores pegaram pesado na divulgação, espalharam cartazes pelos principais colégios particulares de São Paulo, e saíram vendendo ingressos sem se preocupar com a capacidade do imóvel nem com os efeitos colaterais de uma divulgação tão ampla. Resultado: a Polícia Militar (PM) baixou na festa, o juizado de menores flagrou adolescentes vendendo bebidas alcóolicas para adolescentes, e dois dos organizadores, Diogo Moyses e Maíra Bührer, passaram toda a madrugada trancados numa das salas do casarão até que o pai dele apareceu para assinar papéis, pagar uma multa e autorizar a soltura dos meninos.

Em outra ocasião, conseguiram um patrocínio das pastilhas Valda para produzir um festival de música no Circo-Escola Picadeiro. Naquela época, a Valda promovia um festival muito conhecido em São Paulo, o FestValda, realizado anualmente numa das principais casas de shows da cidade, o Palace, de modo que o aporte financeiro oferecido pela marca permitiu a instalação de um palco profissional e um baita equipamento de som, o que foi celebrado com muito entusiasmo pelos organizadores e pelo público.

Aos poucos, Dioguinho foi se destacando como uma jovem liderança vocacionada para a articulação política. Ele era o cara das festas, do futebol, do truco, e também da mobilização, da militância, do engajamento em torno dos grandes temas que despontavam em Brasília ou que emergiam do movimento estudantil.

Em meados de 1996, o filho da Carminha foi escalado pelo grêmio para participar do congresso da União Paulista de Estudantes Secundaristas (UPES) e voltou incomodado com o aparelhamento da entidade por partidos políticos – no caso, pela UJS, ligada ao PCdoB. "Com o dinheiro das nossas carteirinhas, levam aos colégios as fichas de inscrição e a sua própria tese e praticamente tiram dos colégios visitados dois delegados, que mais tarde representarão dois votos a mais na chapa da situação", denunciou, em artigo publicado no terceiro número da *Revista Voz Ativa*, publicada em outubro de 1996. "Assim, as pessoas que se tornam delegados acabam se tornando massa de manobra dos líderes de grupos políticos e o congresso (estudantil) acaba virando um estádio de futebol, onde a razão não é em nenhum momento utilizada nas discussões."

Tomando os devidos cuidados para não parecer marrento ou panfletário, Dioguinho buscava uma forma de chamar atenção dos colegas para a importância de participar daquele processo e, em certo sentido, tentar moralizar as práticas adotadas pelas organizações estudantis. "Sem luta, sem empenho, e principalmente sem a aproximação da entidade com os grêmios, assim como dos grêmios com os alunos, não vamos chegar a nada", acrescentou, no mesmo artigo. "O problema é nosso, sim, e, se não quisermos ser conhecidos como a geração da preguiça, temos que começar a agir."

Parte desse incômodo estimulou Dioguinho e Maíra a construir, junto com outros membros do Voz Ativa e representantes de outros colégios, como Gracinha e Santa Cruz, uma iniciativa pouco ortodoxa que consistia numa espécie de rede extraoficial de grêmios, o Princípio, criado com a intenção de favorecer trocas e elaborações coletivas entre as entidades estudantis de diferentes escolas.

— A gente precisa sair da nossa bolha e envolver também as escolas públicas — Dioguinho sugeriu, logo nas primeiras reuniões.

Durante semanas, Maíra e ele visitaram colégios estaduais, falaram sobre o papel dos grêmios estudantis, a importância de construir espaços de representação, compartilharam suas experiências à frente do Voz Ativa e ajudaram a resolver dúvidas frequentes dos diversos grupos interessados em fundar grêmios nos colégios que não os tinham. Quem o ouvisse nesses encontros, envolvido nas inúmeras articulações políticas que o movimento estudantil demandava, era prontamente contagiado pela paixão que emanava de cada fala, de cada proposta, de cada diálogo ou discurso.

Dioguinho fazia política como quem dedilha um violão ou faz embaixadinhas. Era, ao mesmo tempo, uma missão e um *hobby*, um desafio e um prazer, comparável tão somente aos torneios com o time do colégio.

6

Mil gols

— Hoje foram três gols.

Dioguinho anotava num caderno todos os tentos que convertia, fosse num campeonato entre colégios, na aula de educação física ou no intervalo. Aos amigos mais próximos, dizia que faltava pouco para completar mil gols. Aquela havia se tornado uma de suas metas, um de seus objetivos de vida. E Dioguinho, sempre competitivo, corria atrás do próximo com determinação, mesmo que estivesse numa pelada na praia.

Como torcedor, a fixação era parecida. Dioguinho estudava a tabela do Paulista e do Brasileirão e sabia todos os jogos que seriam disputados na semana seguinte, a "casa", o dia e o horário. Não marcava nenhum compromisso que coincidisse com as partidas mais importantes, não apenas do Corinthians. Se pudesse, veria todas. Uma de suas maiores curtições, aliás, era acompanhar os amigos santistas, são-paulinos e até palmeirenses ao estádio, hábito inaugurado ainda no Ensino Fundamental. Fiscal de clube alheio, achava um absurdo torcedores que não torciam.

— Quando foi a última vez que você foi ao estádio? — cobrava. — Como se chamam os zagueiros do seu time?

Foi na companhia de Dioguinho que muitos amigos e amigas debutaram nas arquibancadas do Pacaembu ou do Morumbi, conferindo pela primeira vez uma partida de perto. Com frequência maior do que a recomendável, Dioguinho cometia loucuras como pegar um ônibus, sozinho ou com algum colega, e ir até Campinas, no meio da semana, apenas para assistir a uma partida entre o Corinthians e o Guarani, válida pelo Campeonato Paulista, e voltar para São Paulo no primeiro ônibus da madrugada, como fez certa feita com o amigo Felipe Pierrobon. Isso quando ainda era aluno do primeiro ano – e sem avisar a mãe nem a avó. Meses depois, foi a Belo Horizonte, novamente escondido, para ver o Timão enfrentar o Atlético Mineiro no jogo de ida da semifinal do Brasileiro. Quase deu ruim. Naquela quarta-feira, as câmeras de TV captaram o rosto do garoto, lívido após um gol do Corinthians. Na viagem de volta, sozinho, pesavam sobre seus ombros não apenas a gosto amargo da derrota por 3x2, mas, principalmente, o medo da bronca que receberia em casa se alguém o tivesse dedurado para dona Carminha. A bronca nunca veio.

Dioguinho integrava a seleção do Equipe, o time que treinava toda semana e representava a escola em campeonatos entre times de São Paulo, vinculados normalmente a clubes ou colégios. Uma vez, disputou um torneio promovido pela Prefeitura no Parque da Aclimação. Algumas partidas trariam inigualável sabor de vitória e ficariam guardadas em sua memória, como o dia em que o Equipe bateu o Clube Paineiras, um dos favoritos na competição. Dioguinho lembrava detalhes daquele jogo e de muitos outros: o placar, o autor de cada gol, quantos foram marcados no primeiro tempo e quantos no segundo. E reproduzia os principais lances em voz alta, como um radialista descrevendo as finalizações, os dribles ou a trajetória da bola do momento do chute até chacoalhar no fundo da rede.

No segundo ano, além de integrar o time do Equipe, Dioguinho foi convidado para jogar futsal toda sexta-feira no Colégio Vera Cruz. Esse campeonato, organizado por Ricardo Lobo, professor de educação física do Equipe que agora fazia parte da direção da escola, existia desde os anos 1980 e era conhecido como "Craques de Sexta". Ali, na Vila Beatriz, as partidas se davam entre adultos. Eventualmente, quando faltava gente para completar os quatro times que disputariam os dois jogos da noite, Ricardo convocava algum aluno que tivesse se destacado nas aulas de educação física. Cada atleta dava uma contribuição semanal em dinheiro, modesta, que era revertida no aluguel da quadra, na compra das bolas e das medalhas que eram entregues ao melhor jogador do mês e, ao término de cada semestre, na aquisição de troféus oferecidos ao craque da temporada.

Anos depois, quando foi morar em Brasília, Dioguinho tentou manter um pé no Craques de Sexta, voltando a jogar sempre que estivesse por São Paulo. Quando inventou de fazer doutorado na USP, deu um jeito de cumprir os créditos no Largo de São Francisco às sextas-feiras. Voava de Brasília para São Paulo no primeiro horário, reunia-se pela manhã com o orientador – o ex-ministro do STF Eros Grau –, assistia às aulas das 14 às 18 horas e corria para jogar na quadra do Vera, aonde chegava normalmente de terno e gravata, arrastando a mala de rodinhas, para seguir direto para o aeroporto e retornar a Brasília no último voo da noite.

Uma experiência, mais incrível do que todas as outras, marcaria sua trajetória de boleiro ainda antes de deixar a escola. Nas férias de julho de 1996, no meio do terceiro colegial, Ricardo Lobo organizou uma sequência de jogos para o time. A novidade é que, desta vez, as partidas não seriam realizadas no Parque da Aclimação nem no campo do Marítimo. A garotada foi jogar na Europa.

O roteiro montado pelo professor deixaria qualquer um de boca aberta. Entre os dias 3 e 27 de julho, os garotos disputariam dois torneios, um na Espanha e outro na Itália, e mais dois amistosos na Alemanha, com tempo de sobra para visitar museus, pontos turísticos e passear pelas cidades. Só estavam impedidos de consumir bebidas alcoólicas – ao menos oficialmente – e de voltar para os alojamentos depois das 21 horas. Dioguinho deu seus pulos, pediu ajuda à dra. Albertina, à mãe e aos amigos, e conseguiu emitir bilhetes para acompanhar o time.

Desde o embarque em Guarulhos, Dioguinho não cabia em si. Não era a primeira vez que ele viajava de avião nem a primeira experiência fora do país. Um ano antes, ele havia passado uma semana em Cuba, acompanhando uma excursão do time de beisebol do amigo Alberto, filho de Albertina, com a incumbência de levar relatórios e buscar documentos em organizações feministas de Havana para trazê-los ao Brasil. Mas dessa vez era diferente. Ele iria para outro continente. E para fazer o que mais gostava na vida.

O time foi quase inteiro. Dois únicos desfalques: Diogo Moyses e Renato Bacchi, cujos pais não toparam bancar a viagem. Em compensação, havia tantos jogadores reservas que o grupo seguiu com dezessete jogadores, incluindo três ou quatro alunos de outros colégios paulistanos infiltrados na tropa do Equipe, como Marcos Fião e Gustavo, ambos do Dante Alighieri. Todos jogaram, pelo menos por trinta minutos. Sob a condução do técnico Márcio Tadeu, o elenco titular incluía Diogão no gol (revezando com Tomás); Fião, Dioguinho, Gustavo e Jorge; Bruno "Coxa" Bacile, Felipe Pierrobon, Marcello Balhe e Raul; Guiu e Arnaldo. Émerson, Maurício, Júnior, Felipe Calmon e Jean Paul completavam o escrete.

Se, fora do campo, a experiência permitiu aos brasileiros conhecer cidades como Barcelona e Frankfurt, passear de gôndola nos canais de Veneza e visitar o campo de concentração Dachau, nos arredores de Munique, dentro dos gramados as disputas foram igualmente memoráveis, menos pelo placar do que pela fruição. Em Verona, por exemplo, o Equipe disputou a Italy Cup com times de quinze diferentes países. Dioguinho e companhia puderam jogar e tirar fotos no estádio Marcantonio Bentegodi, uma das sedes da Copa de 1990, e trouxeram para casa um troféu, muito embora tenham amargurado um modesto sétimo lugar – desempenho aquém do que os adversários esperavam de um time do Brasil, país que havia se tornado o primeiro tetracampeão da história dois anos antes. "Galera do Equipe invade a Europa, com muito samba e pouco futebol", registrou, na capa, o irreverente terceiro número da *Revista Voz Ativa*, publicado em outubro.

Na volta às aulas, em agosto, o coração começou a apertar. Dioguinho se deu conta de que aquele seria seu último semestre no colégio, o desfecho de uma emocionante trajetória. Em cinco anos, ele havia feito grandes amigos, conhecido a primeira namorada, vivido experiências antológicas, jogado futebol na Europa e aprendido quase tudo que ele julgava saber aos 17 anos.

Sem perder de vista os treinos, as atividades do grêmio, os estudos e as campanhas políticas - agora para tentar eleger Luiza Erundina novamente prefeita de São Paulo, oito anos após sua primeira vitória, em 1988 -, Dioguinho registrava sua ansiedade diante do galope do tempo em bilhetes trocados durante as aulas com a amiga Maíra.

— Estou com um pouco de medo do Equipe acabar — foi ela quem tocou no assunto, inaugurando uma folha arrancada do caderno universitário. — Não vou encontrar pessoas como você na próxima esquina. Medo de ter que carregar meu sonho sozinha, de não ter com quem construir, medo do individualismo.

— Má, se algum dia o mundo der certo, pode ter certeza de que nós vamos estar juntos — ele respondeu, na linha debaixo. — Nós somos amigos de sonho, isso não tem o que destrua.

Amigos de sonho. Desde o fim do namoro com Vera, mas principalmente a partir do início do terceiro ano, Dioguinho começou a gostar da Maíra, sua companheira no *Voz Ativa* e na militância política. Uma paquera que nunca vingou. Maíra entendeu que a amizade lhe era superior e foi tocando o barco. A estratégia funcionou. Em meados daquele último ano, os dois haviam se tornado os maiores confidentes um do outro. Dioguinho namorou a Bia" e saiu com outras garotas, mas a "Má", que não topou ir além da amizade, continuou sendo sua maior confidente.

— Eu não tenho só medo, eu tenho desespero que isso aconteça — continuava a resposta de Dioguinho, rabiscada em garranchos e rasuras. — É, Maíra, a casa está caindo. Eu tenho ficado triste demais esses dias.

Antes do fim do ano, os alunos precisavam elaborar uma monografia, uma espécie de trabalho de conclusão de curso. Filho de historiadora, Dioguinho mergulhou na história de Getúlio Vargas para investigar a transformação do caudilho autoritário, que em 1930 golpeara a Constituição e instaurara a ditadura do Estado Novo, num líder popular que voltaria ao poder pelo voto direto, em 1950, para instituir as mais importantes leis trabalhistas do século XX. A professora discorria sobre a perseguição a Olga Benário, militante comunista e judia deportada para a Alemanha nazista e assassinada numa câmera de gás, sobre a prática da censura deflagrada pelo Departamento de Imprensa e Propaganda e sobre as torturas praticadas por Filinto Müller, chefe da polícia política, e Dioguinho, na ebulição questionadora dos 17 anos, argumentava que era um equívoco reduzir Vargas àquilo, que era preciso levar em consideração o contexto e que Vargas havia criado a Consolidação das Leis do Trabalho (CLT), o salário mínimo, a PETROBRAS. Por algumas semanas, Dioguinho parecia abduzido por aquele trabalho. Fecharia o terceiro ano com oito conceitos B e quatro conceitos A: em História, História do Brasil, Geografia e Matemática.

Uma viagem à Ilha do Mel, no Paraná, faria as vezes de rito de passagem. Na cerimônia de formatura, realizada no colégio dias antes, Dioguinho foi um dos oradores. Aparou o cabelo, vestiu uma camisa branca, terno e gravata marrons, e leu seu discurso.

No livro de formatura de 1996, uma reunião de versos, desenhos, memórias e mensagens escritas pelos terceiranistas, cada um com direito a preencher uma página como quisesse, Dioguinho reproduziu a letra de *Sonho Impossível*, a versão em português que Chico Buarque e Ruy Guerra haviam feito para a canção *The Impossible Dream*, de Mitch Leigh e Joseph Darion. Tema de Dom Quixote no musical da Broadway *O Homem de La Mancha*, de 1965, e gravada por astros como Frank Sinatra, a canção, ora vertida para o português, embalara a adaptação do mesmo musical dirigida por Flávio Rangel em 1972, com Bibi Ferreira, Paulo Autran e Grande Otelo. "Lutar quando é fácil ceder", dizia a letra que inspirara Dioguinho. "E amanhã, se esse chão que eu beijei, for meu leito e perdão, vou saber que valeu delirar e morrer de paixão".

Nas bordas da página, outra citação, desta vez do argentino Leon Gieco em tradução para o português do gaúcho Raul Ellwanger, atribuída por Dioguinho à cantora argentina Mercedes Sosa – que apenas a gravara, a duas vozes com Beth Carvalho, num álbum de 1986: "Eu só peço a Deus que a tristeza não me seja indiferente, que a morte não me encontre um dia, solitário, sem ter feito o que eu queria." Finalmente, sob o poema, um pedido aos colegas: "Por favor, não esqueçam o que se passou aqui. Vivemos e louvemos a eternidade de nossas existências."

É impossível cravar com precisão, mas dizem que, àquela altura, Dioguinho já havia superado em muito a marca dos mil gols. Dali para frente, viriam muitos outros. Dentro e fora do campo.

7

Ruptura

Desde muito cedo, Carminha ensinou Diogo a andar de ônibus por São Paulo: decifrar os itinerários, decorar nomes e números das linhas, confirmar com o motorista se o ônibus passa pelo destino almejado e pedir ao cobrador para indicar o ponto mais próximo. Nos anos 1980, conferia-se o trajeto no guia de ruas da Mapograf, um catatau de capa azul que antecedeu em décadas o GPS, o Waze e o Google Maps e que muitas pessoas tinham em casa ou no porta-luvas do carro. Subia-se pela porta de trás e descia-se pela da frente. Para solicitar a parada, puxava-se uma cordinha.

Ainda moleque, Diogo ajudava a mãe a subir os degraus e, juntos, iam para todos os lugares: a escola, o trabalho, o mercado, o médico, o cinema. Nessas viagens, a mãe costumava apontar pela janela. Mostrava São Paulo ao filho. O menino ia singrando a paisagem, atento à tarefa de absorver tanta geografia. Os passeios pelo centro da cidade eram os mais instigantes. A Câmara dos Vereadores, a Catedral, o edifício mais alto do Brasil, a biblioteca mais completa do estado, o primeiro colégio, o teatro mais bonito...

Uma vez, Carminha mostrou a ele um prédio enorme, que parecia um castelo, não muito depois do Viaduto do Chá. Havia três bandeiras içadas logo na entrada, incluindo a do Brasil, e meia dúzia de colunas que o fizeram lembrar as aulas sobre a Grécia antiga. No alto, acima do pórtico principal, um relógio de ponteiros com algarismos romanos e três palavras escritas: "Facvldade de Direito", assim mesmo, com um "v" no lugar do "u".

— Aqui é a Faculdade de Direito da USP — Carminha explicou, redundando o letreiro. — Os melhores advogados saíram daí. E também escritores, prefeitos, um monte de presidentes da República.

O adolescente, então com 12 ou 13 anos, manteve os olhos naquele castelo até que o sinal abriu e o ônibus seguiu pela Avenida Brigadeiro Luís Antônio, atravessando o viaduto sobre a Avenida 23 de Maio.

Ao longo do Ensino Médio, Diogo ouviu muitas referências à faculdade de Direito da USP, que alguns chamavam carinhosamente de "as arcadas", expressão que o deixava intrigado. Soube, por exemplo, que Castro Alves havia estudado ali, assim como José de Alencar, Álvares de Azevedo, Monteiro Lobato e Lygia Fagundes Telles.

Na hora de preencher a inscrição para o vestibular, Diogo hesitou entre História e Direito, mas acabou optando por disputar uma vaga nas "arcadas". Sua trajetória no movimento secundarista e o firme interesse pela atividade política contribuíram para que ele optasse por uma profissão que, segundo ele, lhe permitiria contribuir para a construção de um mundo mais justo. Operador do direito, como advogado, jurista ou professor, Diogo estaria apto a colaborar na elaboração de leis mais adequadas e a garantir a trabalhadoras e trabalhadores de baixa renda o direito a ampla defesa.

Diogo não teve êxito na primeira tentativa. Sua reprovação no vestibular, a despeito da dedicação e do ótimo histórico escolar, abalou o puxadinho do Socorro.

— Quem mandou não estudar? — Carminha acusava. — Eu me desdobrei durante cinco anos para manter você nesse colégio. O mínimo que você deveria ter feito é passar.

A prima Dani percebeu a irritação da tia e foi comentar com Diogo.

— Tua mãe está uma fera.

— E eu não sei?

— Engole esses livros, cara. É melhor você grudar a bunda na cadeira e ralar no ano que vem.

Diogo ficou arrasado. Ele havia estudado pacas. Levara a sério o programa da FUVEST, lera os livros, fechara o ano com notas excelentes. Paciência. O jeito era começar tudo de novo. O primeiro passo, Diogo sabia, era batalhar uma bolsa num cursinho bacana. Deu um gás nos estudos e conseguiu abater 70% da mensalidade no Anglo da rua Tamandaré, na Liberdade, então um dos melhores cursinhos de São Paulo. Deu certo. Um ano depois, em fevereiro de 1998, Diogo pôde finalmente se matricular no curso noturno de Direito do Largo de São Francisco.

Ao chegar, Diogo foi logo se somando ao time de futebol da sala. Funcionário exemplar, batia o cartão em todas as partidas disputadas no "campo do Onze". Instalado num terreno doado em 1955 ao Centro Acadêmico XI de Agosto pelo então governador Jânio Quadros, o campo não era apenas um terrão com uma trave de cada lado, como Diogo supunha antes de conhecer, mas um generoso complexo esportivo de frente para o Parque Ibirapuera, vizinho ao prédio onde funcionou o Departamento Estadual de Trânsito de São Paulo (DETRAN), mais tarde convertido em Museu de Arte Contemporânea.

Esse complexo, disponível para uso gratuito de todos os alunos da São Francisco, incluía não apenas um campo de futebol com grama e dimensões oficiais, mas também quadras de tênis, quadras poliesportivas e churrasqueiras, além de uma lanchonete terceirizada, cujo aluguel representava uma importante fonte de receita para o centro acadêmico – assim como o licenciamento de dois *outdoors* fixados sobre o muro, que rendiam uma pequena fortuna anual até entrar em vigor a Lei Cidade Limpa, de 2006, que baniu a publicidade dos espaços públicos no município de São Paulo.

No final dos anos 1990, nenhum Centro Acadêmico (CA) da USP tinha tanto dinheiro, prestígio e presença nos meios de comunicação quanto o XI de Agosto. Fundado em 1903, ele tomara o nome emprestado da data em que foi sancionada, em 1827, a lei que instituiu as duas primeiras faculdades de Direito do Brasil, uma em Olinda (PE) e outra em São Paulo – a mesma faculdade que Diogo passou a frequentar.

Para quem havia militado por mais de dois anos no movimento secundarista, fazer parte do XI de Agosto parecia um caminho natural, e que despertava nele enorme interesse.

Diogo chegou dividido entre o curso e a militância, sem saber qual das duas atividades o motivava mais nem a qual das duas dedicaria mais tempo. As aulas e as atividades extracurriculares, muitas delas promovidas pelo XI, lhe pareciam fantásticas.

Havia nas "arcadas" uma pompa, uma liturgia, com a qual ele não estava acostumado. Alguns professores eram intelectuais notáveis, operadores do Direito com longa trajetória e vasto currículo, com recorrentes incursões na imprensa e autores de livros que eram as principais referências em suas áreas. O mobiliário de madeira escura, os retratos a óleo envoltos em amplas molduras, as escadarias, as salas batizadas em homenagem a antigos alunos e grandes nomes do Direito, a história de resistência da Sala dos Estudantes, a empáfia do Salão Nobre, o submundo do "porão" – um espaço abaixo do nível da rua que hospedava uma lanchonete, um bar, um balcão de xerox e a sala do centro acadêmico – tudo isso fascinava o garoto do Socorro, agora em lua de mel com a graduação. Tanto é que Diogo, como um "homem placa" repaginado, passou a andar para cima e para baixo com camisetas e moletons da USP, da São Francisco, do XI de Agosto ou da Atlética. O orgulho em fazer parte daquilo era algo tangível.

Ao mesmo tempo, Diogo estava decidido a se engajar na campanha eleitoral daquele ano. Em outubro, Lula voltaria a disputar a Presidência da

República com Fernando Henrique Cardoso, agora candidato à reeleição, e ele, a despeito das críticas recorrentes que fazia à direção do partido, sempre construtivas, sentia-se compromissado em apoiar a candidatura petista. Era uma espécie de imperativo cívico. Não bastasse, Diogo queria voltar a militar no movimento estudantil. Depois de um ano praticamente perdido em função do cursinho, ele chegou à faculdade decidido a formar um grupo político novo, quiçá uma nova chapa para pleitear representação no congresso da UNE que se avizinhava e, mais à frente, disputar o próprio XI de Agosto.

O projeto, um tanto presunçoso, era compartilhado com um colega de turma, Fábio Costa Sá e Silva, o "Mato Grosso", mas não persistiu por muito tempo. Havia uma espécie de bipartidarismo enraizado no movimento estudantil da Faculdade de Direito, uma tradição de décadas, e Diogo logo entendeu que, em certos ambientes e em determinados momentos da história, não há espaço para terceira via. Antes que qualquer frustração o envolvesse, no entanto, Diogo foi convidado a ingressar numa das chapas.

Naquele ano, a disputa central se dava entre o Partido Acadêmico Autônomo (PAA), à frente do XI pelo terceiro ano consecutivo, e a Rasgando o Verbo, a chapa de oposição. Não demorou para que Diogo se aproximasse desse grupo. O primeiro contato se deu em abril, nos Jogos Jurídicos, tradicional torneio de futebol disputado entre os times das principais faculdades de Direito do Estado. Em 1998, os jogos foram realizados em Americana, a 130 quilômetros de São Paulo. Menos de dois meses após se matricular na faculdade, Diogo ainda não havia sido escalado para jogar no time da São Francisco, mas viajou pela torcida e pela curtição. Ali, na quadra do alojamento, acabou batendo bola com um colega, aluno do segundo ano e uma das lideranças da Rasgando o Verbo, Vinícius Marques de Carvalho. Os dois se conheceram e jogaram juntos, mas não chegaram a conversar sobre política nem sobre movimento estudantil. A primeira conversa neste sentido aconteceria meses depois, em São Paulo.

A paixão pelo futebol e a militância de esquerda talvez tenham sido as primeiras de uma série de conexões entre Diogo e Vinícius. Em pouco tempo, os dois encontrariam muitas outras afinidades, que acabaram por convergir numa amizade sólida e duradoura, um tipo de parceria que se estenderia para a vida profissional e para a atividade política, transformando os amigos em compadres e, muitos anos depois, em sócios.

Aos 19 e 20 anos, respectivamente, Diogo e Vinícius também tinham em comum a consciência de classe, a falta de grana e um núcleo familiar pouco convencional. Enquanto Diogo morava com a mãe e a avó numa casa de um único quarto no Socorro, Vinícius morava com a avó e uma tia, com quem dividia o quarto, numa casa de dois dormitórios na Penha, Zona Leste de São Paulo. Havia deixado a casa dos pais em Cabo Frio (RJ) para cursar o Ensino Médio na Escola Técnica Federal de São Paulo, no Pari, onde estudou mecânica. No último dos quatro anos do curso, fez um semestre de estágio remunerado numa indústria de construção pesada em Guarulhos para conseguir bancar um semestre de cursinho, de olho numa vaga na Escola Politécnica. A opção pelo Direito surgiu às vésperas do vestibular.

Diogo já estava enturmado com a galera da faculdade quando resolveu dar as caras numa reunião convocada pelos dirigentes da Rasgando o Verbo a fim de apresentar aos calouros o calendário eleitoral do segundo semestre e conversar sobre a importância de disputar o centro acadêmico. Havia um cansaço no ar, um clima de desgaste, como se os próprios dirigentes soubessem da necessidade de arejar o grupo e rever algumas práticas a fim de retomar a competitividade com o PAA.

Àquela altura, Vinícius e outros veteranos, como Mario Schapiro e Carlos Eduardo Quartim Barbosa Elias, o "Cadu", administravam o espólio de um grupo político em declínio, repleto de fraturas internas. Seguiam remando, mesmo que tivessem a nítida sensação de que, do jeito que estava, o barco não chegaria a lugar algum. Era preciso, com urgência, renovar o grupo e somar forças com outros coletivos da faculdade na expectativa de ampliar o capital político e o potencial de penetração.

Nessa reunião, reproduzindo o tom de voz empático e cordial que havia desenvolvido nos tempos de Voz Ativa, Diogo pediu a palavra e teceu alguns comentários sobre a conjuntura, o que estaria em jogo em 1998 e qual deveria ser, na sua opinião, o papel dos estudantes da São Francisco. Sempre "na humildade".

Vinícius, Mario e Cadu gostaram do que ouviram.

— Porra, esse cara é bom — comentaram entre si.

— Esse cara é nosso.

— Ele é de esquerda e já chegou formado.

Dias após esta apresentação, Diogo foi a um segundo encontro da Rasgando Verbo, uma reunião fatídica, em que muitos dos integrantes anunciaram que estavam deixando o grupo. Na prática, aquela debandada representava o fim da Rasgando. De lá, alguns dos estudantes partiram direto para a casa do Mario, que fazia aniversário, e Diogo foi junto. Vinícius grudou no Diogo.

Cerveja vai, cerveja vem, explicou ao novo amigo o desgaste que a Rasgando o Verbo havia sofrido nos anos anteriores e apresentou a proposta de constituir um novo grupo, já com a adesão de outros veteranos, como Pierpaulo Cruz Bottini, Luís Fernando Massonetto, Marta Machado e Estela Aranha.

— Vem com a gente — convidou.

As conversas foram avançando e Diogo acabou se somando ao núcleo duro que formularia os fundamentos da nova força política da São Francisco, batizada de Ruptura. Terminadas as férias de julho, Vinícius e Diogo se encontraram para escrever, a quatro mãos, um manifesto para ser lido no dia 11 de agosto, divulgando à comunidade os princípios e os nomes que compunham o grupo.

Para muitos, o Ruptura era considerado um grupo "petista", enquanto o Partido Acadêmico Autônomo, com um discurso mais "independente" ou "suprapartidário", segundo uns, ou "isentão", segundo outros, era frequentemente associado aos "tucanos". Entre as lideranças deste grupo estavam pessoas mais ou menos próximas ao então governador Mário Covas e com histórico de atuação em defesa dos Direitos Humanos, como Denis Mizne, fundador do Instituto Sou da Paz e mais tarde diretor da Fundação Lemann, e Gustavo Ungaro, que anos depois, nos governos Geraldo Alckmin e José Serra, viria a ser secretário-adjunto do Emprego e Relações do Trabalho e secretário-adjunto da Justiça e da Defesa da Cidadania, além de diretor-executivo do Instituto de Terras do Estado de São Paulo, o ITESP. A presidente, naquele ano, era Andrea Mustafa, a primeira mulher a presidir o XI, mais tarde assessora parlamentar do Partido Novo.

Ainda em 1998, diante da queda de popularidade que o governo FHC vinha enfrentando desde o ano anterior, o PAA passou a incorporar pautas mais à esquerda, puxadas por uma nova geração de dirigentes, entre os quais Ivo Corrêa, Pedro Abramovay e Felipe de Paula, mais próximos ao PT do que ao PSDB. Ainda assim, havia um esforço do PAA em se apresentar como um grupo empenhado em defender estritamente os interesses dos alunos, naquilo que fosse essencial ao cotidiano da Faculdade de Direito, em detrimento da política nacional e do debate partidário. Neste sentido, seus dirigentes acusavam o Ruptura de fazer política partidária, muito embora não fosse um grupo vinculado a tendências e partidos, como costumava acontecer em outras entidades estudantis. Havia, para além disso, diferenças na forma de conduzir o movimento estudantil. A turma do PAA voltava-se mais frequentemente para uma política de gabinete, pontuando suas conquistas nas esferas institucionais e jurídicas, enquanto o Ruptura preferia botar o bloco na rua e o megafone na praça, disputando prioritariamente a adesão popular e firmando-se como porta-voz dessa mobilização. Seus adversários os acusavam de radicalizar, de esticar a corda, de transformar tudo em protesto e manifestação. "A diferença entre nós e o Ruptura é que, diante de uma arbitrariedade, nós entraremos com uma ação e vocês convocarão um ato na Avenida Paulista", comparou, na época, um membro do PAA. "Não acho que vocês sejam de direita", Diogo rebateu. "A diferença é que, se tivesse uma ditadura hoje no Brasil, alguns de nós iriam para a clandestinidade enquanto vocês seriam, no máximo, os advogados que iriam nos defender."

Nas poucas semanas que antecederam a eleição do XI naquele ano, o Ruptura soube usar a seu favor certa letargia que se abateu sobre o Partido Acadêmico Autônomo após três mandatos consecutivos. O que, afinal, a diretoria do XI estava fazendo? Como iria se posicionar nas eleições gerais de outubro? Quais as promessas nunca cumpridas? O eleitorado da Faculdade de Direito passou a pedir "alternância de poder" e a prestar atenção nas propostas do Ruptura. Na chapa montada para disputar a direção, Vinícius entrou como candidato a presidente e o nome de Diogo foi listado como secretário-geral. Enquanto FHC vencia Lula no cenário nacional pela segunda vez, a direção do XI ficou com o Ruptura. A partir de primeiro de dezembro de 1998, aos 19 anos, Diogo se tornou um dos responsáveis pela condução do centro acadêmico mais famoso do Brasil.

8

Um amor militante

Dois ônibus, oitenta estudantes, 3.200 quilômetros em quatro dias apenas no trajeto de ida. O roteiro da caravana era audacioso: sair do Largo de São Francisco no dia 13 de julho, uma terça-feira, às 10 horas, e chegar à Universidade Federal do Pará, em Belém, na manhã de sábado, a fim de participar da vigésima edição do Encontro Nacional dos Estudantes de Direito, o XX ENED. Oito dias depois, mais cinco dias na estrada e 3.600 quilômetros rodados na volta a São Paulo.

A proposta do Centro Acadêmico XI de Agosto, gerido pela primeira vez pelo grupo Ruptura, tornava tudo ainda mais instigante naquele primeiro semestre de 1999. Não bastava chegar ao ENED, era preciso visitar lugares interessantes e promover a integração entre os estudantes. Ao longo do trajeto, os dois ônibus parariam em pontos turísticos, como a Chapada dos Veadeiros (GO), e em locais historicamente emblemáticos, como a cidade de Conceição do Araguaia (PA), um dos palcos da guerrilha organizada pelo PCdoB no final dos anos 1960. Na volta, fariam escalas em Imperatriz (MA) e em Brasília (DF), fechando a caravana no Festival de Inverno da Universidade Federal de Minas Gerais, em Ouro Preto.

O programa era pretensioso. O lema da excursão, "o Brasil que conhece o Brasil", reproduzia um dos *slogans* adotados no ano anterior pela campanha presidencial da chapa Lula-Brizola. Proselitismo político, acusavam os adversários. Abertura do movimento estudantil à participação dos alunos, defendia a gestão, segundo a qual levar dezenas de representantes a um congresso em vez de apenas dois ou três delegados escolhidos pela diretoria do XI era uma atitude democratizante.

O primeiro dia de viagem seria o mais exaustivo: um estirão de quase vinte horas, com poucas paradas para alimentação e necessidades fisiológicas, entre São Paulo e Alto Paraíso, em Goiás. Ao ingressar na Rodovia dos Bandeirantes, já perto do meio-dia, os organizadores estabeleceram a meta de rodar até por volta das 8 horas da manhã seguinte, quando desembarcariam todos para o café da manhã e para a primeira trilha da viagem, com direito a banho de cachoeira, já na Chapada dos Veadeiros.

Para vencer as horas no ônibus e se esquivar do tédio, cada veículo vinha equipado com um aparelho de videocassete e um pequeno monitor de TV, colado ao teto, logo nas primeiras fileiras. Dirigente do XI, Diogo cuidou de levar algumas fitas de vídeo que considerou condizentes com os interesses culturais dos colegas. Na primeira noite, assistiriam ao filme *Lamarca* (1994), de Sérgio Rezende, cinebiografia do capitão do Exército Carlos Lamarca, que desertou em 1969 e deixou o quartel em Osasco levando armamentos e soldados para se somar às fileiras de oposição armada à ditadura, formando a Vanguarda Popular Revolucionária, a VPR. Para a segunda noite, Diogo escolheu *O Velho* (1997), documentário de Toni Venturi sobre o líder comunista Luiz Carlos Prestes, ex-deputado e dirigente do PCB falecido em 1990.

O sol ainda estava alto quando a turma do fundão puxou o primeiro pagode. Diogo assumiu a timba do amigo Rafael Tirapeli – um tambor alto, de madeira, tocado normalmente com as mãos – e pôs-se a cantar com entusiasmo.

Meu coração está radiante, bate feliz, acho que é amor...

Sem muito traquejo com o instrumento, Diogo também escorregava na voz. Mas seguia em frente, reproduzindo a plenos pulmões os versos do grupo Revelação:

Seu jeito meigo me apaixonou, o que fazer pra te conquistar...

Aquela viagem havia sido uma bola dentro do grupo Ruptura. Diogo estava orgulhoso. Ademir Picanço, estudante paraense que havia cursado um ano de Direito na Universidade Federal do Pará antes de ingressar na São Francisco, em fevereiro, havia prometido aos companheiros de movimento estudantil da UFPA que levaria um ônibus da USP para o ENED daquele ano, em Belém. Bastou apresentar a proposta à turma do XI de Agosto para que a caravana fosse prontamente encampada. Foi Diogo, inclusive, quem sugeriu dobrar a aposta e alugar logo dois ônibus, para chegar ao Pará com pompa, marcar presença nos auditórios, nas arquibancadas e nas fotografias: uma tática que ele havia aprendido com as torcidas de futebol. Se era para levar apenas quatro ou cinco "gatos pingados", melhor nem ir, ele dizia. Mas e se não houvesse nem quarenta interessados? Para Diogo, essa hipótese não existia. Eles que lutassem para despertar o interesse da galera e fazer com que os dois veículos viajassem cheios.

O que mais quero é te dar um beijo e o seu corpo acariciar...

Nem foi preciso muito esforço. Os dois veículos viajaram com a capacidade máxima atingida. A maioria dos estudantes da "Sanfran" a caminho do ENED era vinculada ao Ruptura. Quem ali não fosse dirigente do XI nem membro do grupo político poderia ser considerado pelo menos "área próxima", ou seja, compunha a teia de simpatizantes que acabava colaborando, ora aqui e ora ali, com as atividades do centro acadêmico. Era o caso da caloura Lívia Sobota.

Você bem sabe que eu te desejo, está escrito no meu olhar...

Lívia não tinha nem cinco meses de São Francisco quando entrou no ônibus rumo a Belém. Sorridente, cabelos cacheados, o olhar vívido e adereços comprados na feira *hippie* da Praça da República, Lívia se juntou à turma do fundão e começou a acompanhar o animado repertório de sambas e pagodes que ocupavam o topo das paradas de sucesso nos estertores dos anos 1990: Exaltasamba, Molejo, Netinho, Negritude Júnior, Só Pra Contrariar, Revelação...

O teu sorriso é um paraíso, onde contigo eu queria estar...

Diogo gostava de ver o povo da universidade tocando e cantando aquelas músicas, que muitos consideravam de gosto duvidoso. No assoberbado ambiente do Largo de São Francisco, havia quem se permitisse ouvir Cartola, Noel, Nelson Cavaquinho e Paulinho da Viola, eventualmente Beth Carvalho, Alcione, Martinho da Vila ou Zeca Pagodinho. Mas quando o repique e o rebolo anunciavam um *hit* dos grupos mais novos, que bombavam nas rádios e frequentavam os estúdios do *Domingão do Faustão* e do *Programa da Hebe*, aí o mais comum era torcer o nariz – naturalmente empinado – e dar uma esculhambada geral em nome de uma tal "música de qualidade". Diogo considerava essa postura esnobe, arrogante. Preferia assim: um samba autêntico, para todos, juntando no mesmo caldeirão a música de raiz e o que havia de mais *pop* na música comercial, o morro e o asfalto, a tradição e o mercado. Sentia-se especialmente contemplado quando engatava uma música como aquela e a coisa engrenava.

A presença de Lívia naquele fundão tinha, para ele, esse significado. Mas não apenas. Diogo logo pôs reparo naquela caloura. E não tirava os olhos dela desde que a vira, cinco centímetros mais alta que ele, deixar seu assento no meio do ônibus e ir se juntar à turma do samba.

Ai, quem me dera se eu fosse o céu, você seria o meu luar...

Lívia também já havia reparado naquele veterano. Diogo foi um dos primeiros dirigentes do XI que ela conheceu, numa reunião convocada pelo Ruptura para apresentar o grupo e a estrutura do centro acadêmico aos novatos. Na ocasião, em março, Lívia o ouvira falar, mas os dois não chegaram a conversar.

Eu te quero só pra mim, como as ondas são do mar...

Até aquela viagem, Diogo e Lívia haviam se esbarrado algumas vezes, mas nunca convivido. A diferença de turnos - ele no noturno e ela no diurno - contribuía para certo distanciamento. Agora, naquele pagode sacolejante que singrava a estrada, seus olhos se cruzaram pela primeira vez. Aproximaram-se, cantaram juntos e flertaram enquanto a noite despencava sobre o Planalto Central.

Não dá pra viver assim, querer sem poder te tocar...

Quando o samba acabou, Diogo pôs o filme *Lamarca* no aparelho de videocassete. Assim, quem quisesse dormir, dormiria, enquanto os notívagos poderiam driblar o sono por mais uma ou duas horas. Lívia deixou o fundão e se sentou no chão do ônibus, lá pela quinta ou sexta fila, a fim de enxergar a tela. Diogo veio em seguida e se instalou atrás dela. Aos poucos, foi se aproximando dela, até que seu peito servisse de apoio para que Lívia pudesse se recostar. Logo o queixo no ombro, uma respiração mais quente próxima ao pescoço, um sussurro ao pé do ouvido. O primeiro beijo rolou ali, no chão do busão, enquanto, na TV, um guerrilheiro acampado no Vale do Ribeira dava aulas de tiro para os companheiros de resistência.

De manhã, quando o ônibus estacionou na Chapada dos Veadeiros, Lívia reparou que Diogo não saía de perto dela. Foram longos minutos de trilha até chegarem a uma cachoeira. Voltaram a ficar. E novamente no dia seguinte.

A viagem mostrou-se épica, com direito a ônibus quebrado e horas de espera numa oficina no meio da estrada. Quando a caravana finalmente entrou em Belém, já atrasada para a abertura do ENED, Diogo e Lívia desembarcaram como casal. Naquela e nas noites seguintes, dormiram com os colchonetes pareados. Os poucos registros fotográficos mostram os dois de chamego na penúltima fila do ônibus, ainda na viagem de ida, e confortavelmente instalados, a cabeça dele no colo dela, no chão da casa dos pais do Ademir, na capital paraense. Na viagem de volta, dividiram assentos até São Paulo.

De manhã, ao desembarcar na São Francisco, Lívia beijou Diogo esboçando uma hipótese de despedida.

— Tô ficando com outros caras, acho importante você saber — ela comentou, em frente às arcadas, hesitando entre o desejo de compromisso e o medo de se frustrar. Para todos os efeitos, assumia um tom *blasé*, uma linha meio niilista, minimizando da boca para fora a importância daquilo, pronta para se esquivar de um envolvimento mais profundo.

— Mas eu quero ficar só com você — Diogo respondeu, de voleio, assumindo o risco de ser advertido por jogo perigoso.

Lívia pensou alguns segundos antes de concordar. Sim, eles estavam namorando.

Aquele seria um namoro atípico, fora de esquadro, pelo menos para ela, porque os encontros e os momentos de intimidade eram quase sempre atravessados pela causa coletiva, pela agenda atribulada do movimento estudantil, pelas tarefas relacionadas ao XI e ao Ruptura. Logo no início, por mais apaixonados que estivessem, Diogo e Lívia perceberam que os fins de semana raramente seriam deles. A primeira ida ao cinema e o primeiro jantar a dois demoraram meses para acontecer. Havia sempre uma reunião, uma plenária, um ato, um protesto ou um manifesto a ser redigido. E os jogos do Corinthians, é claro. Sem a catimba e a torcida do Diogo, sem as muitas idas ao estádio, o time do Parque São Jorge teria sido capaz de conquistar o tricampeonato brasileiro naquele ano?

Fora isso, Diogo dava um jeito de continuar treinando. Ia ao campo do XI toda semana e jogava no time da faculdade, orgulhoso de vestir a camisa da São Francisco. Agora, ele já não era mais o "Viola", apelido atribuído pelos boleiros do Equipe anos antes, mas o "Zé Rainha", referência ao líder camponês José Rainha Jr., dirigente do Movimento dos Trabalhadores Rurais Sem Terra (MST) com destacada atuação no Pontal do Paranapanema nos anos 1990. O apelido, dado por parceiros de time mais identificados com a direita no espectro político, refletia o paradoxo que sempre acompanhou Diogo em seu profundo respeito à pluralidade. Na visão de seus novos companheiros de time, Diogo era um militante de esquerda, ativo e engajado, vocacionado para a mobilização social, não muito diferente dos agitadores do movimento sem-terra que apareciam no noticiário ocupando fazendas improdutivas, mas era sobretudo um cara legal, um cara legal pra caramba, que todos gostavam de ter no time, na roda de samba, no churrasco.

Quando sobrava algum tempo entre os jogos e as atividades do centro acadêmico, Diogo e Lívia não desgrudavam.

Além da entrada na USP, do engajamento no Ruptura e do namoro com Lívia, uma outra coisa havia mudado para melhor na vida de Diogo. Agora, ele já não precisava cruzar a cidade para voltar para casa depois da aula. Sua aprovação no vestibular havia coincidido com a mudança da família para um apartamento de classe média-baixa em Perdizes.

Carminha havia conseguido financiar seu primeiro imóvel pela Caixa e estava exultante. Todos aqueles anos dedicados à revisão de texto, à pesquisa e à análise de dados haviam permitido a ela cuidar da mãe e do filho e ainda realizar o sonho da casa própria. O apartamento de dois dormitórios, localizado num predinho de três andares sem elevador na esquina da rua Bartira com a rua Apiacás, sem garagem nem jardim ou área de lazer, ainda levaria muitos anos para ser quitado, é verdade, mas Carminha podia se orgulhar de ter escapado do aluguel. Ali, pelo menos, ela estava pagando por algo que mais cedo ou mais tarde seria dela.

A mudança havia proporcionado um salto gigantesco na qualidade de vida dos três moradores, principalmente pela proximidade das coisas. Agora, bastavam trinta minutos num único ônibus para Diogo chegar à faculdade. Em menos de vinte minutos, Carminha chegava ao SESC Pompeia, onde marcava presença em pelo menos um *show* por mês, quase sempre com a amiga Catarina, sua colega na Fundação SEADE. As duas emendavam o *show* com um lanche no Ponto Chic, um bar para notívagos no Largo Padre Péricles, e, quando ainda sobrava energia, terminavam a noite no Villagio Café, no Bixiga. Voltavam para casa depois das 2 horas da madrugada, a tempo de levar bronca do filho.

— Isso são horas? — Diogo divertia-se com a inversão de papéis.

Afora isso, a mudança de endereço havia possibilitado uma revolução no quesito conforto doméstico. Vó Sophia passou a dormir sozinha num dos quartos, enquanto Diogo e Carminha seguiam juntos no outro. Algo fora da curva para a maioria dos jovens de 20 anos que estudavam na USP, mas muito melhor do que o quarto para três no qual Diogo dormira ao longo de dezoito anos.

Uma vez, logo no começo do namoro, Diogo e Lívia foram a uma festa e ela acabou exagerando na bebida. Como a jovem morava com a família na Vila Rosa, ao pé da Serra da Cantareira, no extremo-norte de São Paulo, Diogo preferiu levá-la para seu apartamento, em Perdizes, para que a menina pudesse descansar e se recompor antes de voltar para casa. Lívia chegou apagada. Quando acordou, de manhã, deu de cara com dona Carminha dormindo na cama ao lado. Lívia nunca havia estado ali e não fazia ideia daquele arranjo doméstico. Antes que Diogo acordasse e ainda tentando se situar, Lívia foi recepcionada a tapas por Sophia. A avó, com toda a sociabilidade que lhe era característica, achou por bem tirar a garota da cama e sugerir que ela chispasse dali.

— Ele vai te engravidar e vai te largar! — a avó dizia.

Lívia não entendeu nada. Que loucura era aquela? Uma forma nada ortodoxa de ser apresentada à família do namorado, concluiu. Resiliente, acabou voltando outras vezes, o que fez aumentar o atrevimento da avó.

— Você chega com as unhas tudo pintadas e não lava nem um copo! — Sophia reclamava, saliente.

Quando flagrava uma dessas ofensas, Diogo se indignava. Chamava a atenção da avó, pedia desculpas à namorada. Lívia não demorou para perceber as razões pelas quais, quase sempre, Diogo preferia o mundo da rua, a vida lá fora. Havia certa claustrofobia naquela casa, que tinha a ver com a falta de espaço, mas principalmente com uma avó que reclamava demais. Por tudo isso, Diogo se acostumou a emendar uma atividade na outra e a voltar cada vez menos para casa.

Carminha, por sua vez, gostou da nora desde que a conheceu. Quando contou para Albertina que o filho estava namorando, a amiga quis logo saber como ela era.

— A família dela é de militantes — foi a primeira coisa que Carminha respondeu, referindo-se, sobretudo, a um tio de Lívia, irmão de sua mãe, o ex-preso político Ozeas Duarte, quadro do PCdoB que mais tarde migraria para o PT e, nos anos 1990, comandaria a Direção Nacional de Comunicação do partido. — A família é de militantes e ela atua no movimento estudantil.

Em agosto, apenas duas semanas após a volta do ENED, a intensa programação de palestras e debates promovida por ocasião da Semana do XI revelava o tamanho da mobilização que Diogo, Vinícius e outros dirigentes do CA, como a diretora de relações institucionais Carol Stuchi, resolveram promover. Juntos ou não, eles passaram tardes inteiras ao telefone, convidando intelectuais e lideranças de expressão nacional para fechar a agenda. Aloysio Biondi foi falar sobre privatizações. Fernando Haddad fez a palestra "Capitalismo contemporâneo e Direitos Humanos". Ponto alto do evento, Fábio Konder Comparato, Eros Grau, Dalmo Dallari e João Pedro Stedile compuseram a mesa "O que o Brasil vai ser quando crescer?". Era tanta coisa rolando no XI que, muitas vezes, o jovem casal transmitia a sensação de que aquela rotina bastava.

— Nosso amor é um amor militante — Diogo sintetizou, satisfeito com a expressão que havia acabado de cunhar e que passou a repetir publicamente, inclusive ao microfone, para as mais de 400 pessoas que lotavam a Sala dos Estudantes ou o Pátio das Arcadas em assembleias e plenárias estudantis.

Foi em meio a esse amor militante, quando o enlace com Lívia ainda não havia completado três meses, que Diogo começou a enfrentar a maior prova de fogo que ele vivera até aquele momento. A gestão do XI de Agosto, que ele ajudara a eleger e da qual fazia parte, foi acusada de desvio de verbas. Ou, na melhor das hipóteses, de improbidade administrativa.

Tudo aconteceu tão depressa que a primeira sensação foi de vertigem. E fez com que a diretoria despencasse do céu ao inferno em poucos dias.

De forma resumida, a gestão de 1999, eleita em outubro de 1998 com Vinícius na presidência e Diogo como secretário-geral, logrou desenrolar uma pendência judicial que tramitava havia muitos anos na Justiça paulista: a liberação de recursos provenientes de um fundo de ações da extinta FEPASA, que haviam sido doadas à Faculdade de Direito nos primeiros anos do século XX para que os rendimentos anuais pudessem financiar as atividades do centro acadêmico e da atlética. Fato é que essas ações foram se valorizando ao longo de quase um século sem que ninguém jamais acessasse nem o montante principal nem a receita gerada pela quantia aplicada. Até que, em meados de 1999, o Grupo Ruptura conseguiu liberar o uso dos rendimentos, uma bolada que, em valores corrigidos, passaria de 1 milhão de reais por ano em dinheiro de 2022.

O que o centro acadêmico fez? Comeu melado. Com dinheiro em caixa, pôs-se a organizar grandes eventos. Numa das ações de maior repercussão, que logo seria taxada de controversa, a diretoria contratou um *show* do Zeca Baleiro para a Semana de Artes, gastando na produção mais do que as gestões anteriores costumavam despender com atrações culturais. Pouco tempo depois, para a edição de 1999 da Peruada – o carnaval universitário fora de época do XI, realizado tradicionalmente em outubro, às vésperas da eleição para o centro acadêmico –, novamente foi perceptível o aumento no padrão da festa. Dançarinas foram contratadas para divulgar o evento nas salas de aula, um grupo de samba e pagode foi chamado para esticar a folia para além do tempo habitual, ali mesmo, na Sanfran, conforme sugestão do próprio Diogo.

Ocorre que, com muitos desses gastos já empenhados ou executados, teve início uma discussão acalorada entre os alunos sobre como destinar os recursos provenientes do fundo de ações. Mais de uma assembleia foi convocada e acabou prevalecendo a sugestão de se destinar todo o montante para um orçamento participativo, a ser elaborado em reuniões abertas e aprovado também em assembleia. Quando foi definido o desenho financeiro, o XI já havia gastado quase toda a receita daquele ano. E a gestão foi criticada por ter acelerado as despesas com eventos antes que essa decisão fosse tomada.

Grosso modo, o uso daquele dinheiro poderia ter sido caracterizado no máximo como uma realocação orçamentária indevida ou uma utilização apressada, não submetida ao escrutínio da comunidade como os princípios republicanos indicariam. Mas o Partido Acadêmico Autônomo caiu matando. Para as pretensões eleitorais da oposição, a imprudência do Ruptura era uma oportunidade que não poderia ser desperdiçada.

Em pouco tempo, as acusações tomaram grandes proporções. Numa das mais suaves, acusaram um dos integrantes do grupo de comprar um carro zero com aquela grana, o que era mentira. Tanto fizeram que o PAA venceu a eleição com uma chapa encabeçada por Davi Tangerino. Não satisfeita, a oposição protocolou uma denúncia no Ministério Público Estadual, que culminou na abertura de inquérito policial para apurar o suposto desvio de dinheiro pelo Ruptura, um trauma para jovens de 21 ou 22 anos que não haviam embolsado um tostão.

Derrotados, processados e acusados de corrupção, os agora ex-dirigentes do XI passaram a ser ofendidos e a ouvir comentários inconvenientes ao transitar pelas arcadas. Aquele foi o pior fim de ano possível para os membros do grupo. No primeiro verão do casal, Diogo e Lívia passaram os dias trancados numa sala, refazendo contas e juntando recibos.

Houve quem sugerisse lançar mão de instrumentos de contabilidade criativa. Diogo foi contra. Maquiar as contas lhe parecia inaceitável. Diogo teve a ousadia de apresentar outra proposta:

— A gente vai dizer que errou — sugeriu. — A gente vai fazer o que é certo. E o que é o certo? O certo é a gente dizer muito claramente como o dinheiro foi gasto, explicar as circunstâncias em que a gente errou e pagar o preço político do erro cometido.

Assim foi feito. Ao longo de todo o primeiro semestre de 2000, Diogo se dedicou à tarefa de defender a primeira gestão do Ruptura, tanto no processo movido pelo Ministério Público quanto perante os alunos da faculdade. Foi um processo duro, de imolação, execração pública e sacrifício. Colegas ajudaram a consolidar números e argumentos e a testemunhar cada etapa no vagaroso processo de limpar o nome e recuperar a imagem do Ruptura, reabilitando-o perante a turma. Diogo dormia e acordava pensando na defesa da gestão. Decorou as rubricas, os gastos, as transações, cada uma das atividades e compras realizadas pelo XI.

— Vocês pagaram duas vezes pelo mesmo serviço — acusou um oponente, certa feita, acusando a gestão de praticar desvios.

— Não houve duplicidade — Diogo respondia, com as datas e os valores na ponta da língua. — Aquilo foi um cheque que voltou e que a gente teve de reapresentar. Houve apenas um desconto, uma única vez.

Lívia, que àquela altura havia se mudado da Zona Norte para um apartamento compartilhado na Casa do Estudante, admirava a obstinação do namorado e, principalmente, sua coragem ao peitar aquela defesa, aos 21 anos. Outros grupos teriam se desmanchado. Mas o Ruptura tinha um propósito, um engajamento verdadeiro na disputa política, e Diogo sabia que era preciso teimar.

O que Diogo propunha era mais trabalhoso e muito mais complexo do que abandonar o barco ou jogar o problema para debaixo do tapete. Seria preciso remar contra a corrente, enfrentar uma forma de fazer política que não deixava ninguém confortável, com a promessa de superar aquela fase e suplantar o erro cometido com a consciência limpa, transparência e muito diálogo. Para Diogo, 2000 foi o ano de se explicar. Uma, duas, muitas vezes.

9

Diogo presidente?

Trânsito pesado na Avenida Faria Lima. Hora do *rush*, engarrafamento do capeta. Paulistanos irritadiços, apressados para chegar ao trabalho. Um caminhão de som atravancava o tráfego numa das faixas. Ao redor dele, uma multidão de funcionários, professores e, principalmente, estudantes da USP, da Universidade de Campinas (UNICAMP) e da Universidade Estadual de São Paulo (UNESP) promoviam uma aglomeração inédita, que já cobria a segunda faixa e ameaçava bloquear por completo um dos sentidos da avenida.

O grupo se manifestava em apoio a uma greve de funcionários e professores das três universidades estaduais paulistas que, àquela altura, avançava pelo segundo mês. Dias antes, o prédio da reitoria da USP fora ocupado por cerca de duzentos alunos. Buzinas ecoavam; motoristas faziam rugir os motores de sedans e utilitários. Havia quem despejasse impropérios pelas janelas do carro.

Funcionários ligados ao Sindicato dos Trabalhadores da USP (SINTUSP) e líderes estudantis vinculados aos centros acadêmicos e ao Diretório Central dos Estudantes alternavam-se no sistema de som. Pediam reajuste de 25% nos salários, cobravam o cumprimento de direitos trabalhistas, defendiam aumento da dotação orçamentária e clamavam por eleição direta para reitor. No limite, atacavam o projeto neoliberal, as privatizações, o congelamento dos investimentos públicos na área social e, por extensão, o presidente Fernando Henrique Cardoso e o governador Mário Covas.

— Fora FHC! — gritava um ativista ao microfone.

— Fora FMI! — berrava outro.

Ao mesmo tempo, aos olhos da população, nada disso parecia justificar o inferno instalado na Faria Lima. O jovem atrasado para o "trampo", a dona de casa espremida na condução com quatro sacolas nas mãos. Para esses, aquele bando de grevistas desocupados parecia causar mais problemas do que FHC e o FMI. Ou melhor: não bastasse sofrer pelas mazelas do Brasil e de seus governantes, trabalhadores e trabalhadoras ainda eram obrigados a enfrentar aquele atraso, aquela aglomeração, aquele engarrafamento por causa de meninos mimados que estudavam de graça, matavam aula para fazer bagunça e ainda criavam caso? Era o que muitos pensavam.

— Mais dinheiro para a Educação!

— Fora PM do campus!

— Reajuste salarial já, sem desconto dos dias parados!

Sobre o caminhão de som, um garoto de cabelos encaracolados, ponderado e observador.

— Bom dia, pessoal — ele tateava ao pegar o microfone. — Antes de mais nada, eu queria puxar uma conversa aqui com vocês e fazer uma saudação especial ao *motoboy* que está parado no sinal, cumprimentar o motorista do ônibus, a tia que está ali vendendo o "dogão". E eu queria dizer para vocês os motivos de a gente estar aqui a esta hora, provocando essa confusão toda e atrapalhando o dia de vocês. Quero pedir desculpas a todos, mas dizer que isso que vocês estão vendo aqui é um troço muito importante.

Era o Diogo. E era o Diogo sendo Diogo. Com as sandálias da humildade, sensível às aflições, aos "corres" individuais e às batalhas coletivas, Diogo olhava nos olhos de cada um, identificava e respeitava o cansaço, a pressa, a ansiedade, a angústia de cada pessoa presa no trânsito e reconhecia que um protesto pode não ser apenas um instrumento de luta, mas também se transformar num estorvo de grandes proporções, numa pedra no sapato de trabalhadores e trabalhadoras, dependendo das convicções, do estado de espírito e do ponto de vista. Reconhecia o transtorno que sua militância ajudava a causar exatamente como havia reconhecido os erros na gestão financeira do XI de Agosto meses antes. E por isso pedia licença e se desculpava.

Em cinco minutos, Diogo falou sobre a greve, explicou o que se passava com os trabalhadores das universidades, descreveu a perda de poder aquisitivo e o sucateamento da Educação no Estado de São Paulo. Falou também sobre os excessos da Polícia Militar, que ferira com balas de borracha e estilhaços de bombas de gás lacrimogênio mais de trinta pessoas dias antes, ao mandar a tropa de choque para cima de professores que protestavam na Avenida Paulista. Entre as vítimas estava o fotógrafo Alex Silveira, alvejado no olho direito, que mesmo após cinco cirurgias perderia a visão daquele lado.

Antes de passar o microfone, Diogo voltou a se desculpar com o *motoboy*, o motorista do ônibus, os passageiros e a tia do cachorro-quente. Conseguiu como nenhum outro orador atrair a escuta daquela gente. Sua fala logrou êxito ao extrapolar a bolha e repercutir no íntimo de quem a havia presenciado.

Era maio de 2000 e Diogo estava naquele caminhão como representante do Diretório Central dos Estudantes da USP, órgão máximo do movimento estudantil na Universidade de São Paulo. Num desses lances improváveis do destino, o

Ruptura havia perdido a eleição para o XI no final do ano anterior, mas vencido a disputa pelo DCE. Cadu Elias e Diogo eram os representantes da Faculdade de Direito na gestão da chapa Universidade em Movimento à frente do diretório central, de modo que Diogo precisou se "virar nos trinta" para conciliar a defesa do XI com o trabalho nas arcadas e as tarefas nas demais unidades. Sua atuação extrapolava os limites da São Francisco e alcançava, agora, toda a comunidade da USP, no Butantã, em Ribeirão Preto ou em Piracicaba.

Agora, praticamente não havia fim de semana livre para curtir a dois ou em família, o que tensionava ainda mais o namoro militante que mantinha com Lívia.

Quem também fazia parte da gestão do Universidade em Movimento eram os amigos Diogo Moyses e Tomás Vieira, seus colegas de Equipe, agora respectivamente na Escola de Comunicações e Artes e na Escola Politécnica. A nova diretoria inaugurou o ano firmando posição contra a forma atabalhoada com que o governo federal resolvera celebrar o aniversário de 500 anos do desembarque português no Sul da Bahia. Entre as atrações da "festa" estava a promessa de uma réplica da nau Capitânia, que cruzara o Atlântico em 1500 com Pedro Álvares Cabral a bordo, mas falhas na execução impediram que a embarcação navegasse de Salvador até Porto Seguro e chegasse a tempo. "Brasil, outros 500", foi o lema que o DCE propôs como bandeira de luta, jogando luz sobre as muitas dívidas históricas inauguradas com a colonização: a pilhagem, o extermínio de povos indígenas, a escravidão, o sincretismo imposto goela abaixo, a miscigenação baseada na subjugação e no estupro.

Apenas três dias após o 22 de abril, celebrado em meio a intensos protestos, começara a tal greve nas universidades paulistas, evento que acabou dando a tônica da política estudantil naquele ano. A paralisação se estendeu por 54 dias, a maior desde 1988, graças ao senso de unidade que garantiu o engajamento dos estudantes numa pauta que, originalmente, se restringia aos professores e funcionários, e também à adesão simultânea das três universidades e dos centros de educação tecnológica Paula Souza. Meses depois, em setembro, as conquistas obtidas com a greve ecoavam na cabeça de Diogo quando ele propôs a seu grupo político a inscrição de uma tese no 6º Congresso dos Estudantes da USP. Com o sugestivo título de "Para Além dos Muros e das Máscaras", a tese consta do caderno de teses do congresso e é subscrita por muitos estudantes da São Francisco, entre eles o Ademir, o Mario, a Lívia, o Vinícius, a Carol Stuchi, o Alamiro Neto, e mais a Lúcia Del Picchia, a Anaí Rodrigues, o Fábio Sá e Silva (vulgo Mato Grosso) e o Fernando Neisser.

"As lições da greve ficaram na nossa memória, nos nossos corações e em cada ato que fizemos juntos com professores e funcionários", diz o texto. "Mas as lições da greve de nada valerão se não forem debatidas neste Congresso. A greve mostrou que a Universidade não pode ser compreendida em si mesma, que ela está inserida nas discussões sobre o modelo de país que queremos. Que só é possível defender a Universidade quando a sociedade também toma para si sua defesa. Somente ganharemos a população para a ideia de Universidade pública se radicalizarmos esse caráter, se afirmarmos no cerne do nosso projeto sua democratização, se mostrarmos, enfim, que só será possível pensarmos num sentido de país autônomo e soberano à medida que a própria universidade se afirme como parte fundamental desse processo. É esse o motivo de discutirmos a atual situação do país."

Ao longo de doze páginas, o manifesto tecia uma análise parruda do cenário político brasileiro, em especial do desmonte da Educação no governo FHC, e listava algumas propostas a serem referendadas no Congresso e integradas ao programa a ser implementado pela gestão seguinte do DCE. Do micro ao macro, algumas das sugestões eram "paridade nos conselhos", "diretas para reitor, diretores de unidades e chefes de departamento", "pela ampliação das vagas no período noturno em todos os cursos", "por mais verbas, 11,6% dos ICMS para as universidades públicas paulistas", "fim das fundações e de todo processo de privatização da universidade", "eleições diretas para a UNE e as UEEs", "meia-entrada para a juventude", "boicote ao provão: por uma avaliação de qualidade" e "construir o 'Fora FHC e o FMI', desmistificando a palavra de ordem e fortalecendo uma postura política de oposição que leve ao fim deste governo e da dominação pelo capital internacional."

Quando chegou o momento de inscrever as chapas para disputar a gestão do XI de Agosto para o período 2000-2001, muitos afirmaram que não fazia nenhum sentido inscrever o Ruptura. O grupo certamente iria perder. O legado da gestão de 1999 ainda estava sub judice e em disputa. Só muito vagarosamente o diálogo avançava e Diogo conseguia convencer os estudantes da lisura da gestão. Por outro lado, o Partido Acadêmico Autônomo não apenas geria o XI como havia sido extremamente bem-sucedido ao fixar no Ruptura o rótulo de corrupto. Hegemônico na São Francisco, o grupo da situação, por certo, levaria a melhor mais uma vez, elegendo com tranquilidade o sucessor de Davi Tangerino.

Diogo pensava diferente. Na sua opinião, era preciso disputar. Perder por W.O. seria perder duas vezes: a primeira para si mesmo, numa espécie de autossabotagem ou autoboicote, e a segunda no processo regular de sucessão. Mais do que isso, Diogo parecia atento aos ciclos históricos. Filho de uma historiadora, ele entendia que estavam passando por um momento de regressão, mas que os ventos virariam a qualquer momento. Aquele inverno não duraria para sempre.

Eles venceriam? Certamente, não. Mas concorrer seria uma forma de preservar algum *recall*, arregimentar o próprio exército e, principalmente, ampliar o alcance de seus argumentos, de sua narrativa, de suas explicações. Cada plenária e cada debate seria uma oportunidade valiosa de falar, de apresentar sua versão sobre 1999 e de expor sua análise de conjuntura e seu projeto para a faculdade. Um passo atrás, dois passos à frente.

Como o atleta que aceita catar no gol quando todos os outros jogadores fazem questão de jogar na linha, Diogo apresentou seu nome para a cabeça de chapa. E pôs-se a articular a formação de uma frente com outro grupo da universidade, o Vida ao Pátio (VAP), menos expressivo e não identificado com a esquerda. A estratégia era ampliar a área de influência e absorver setores mais à direita no espectro político a fim de garantir competitividade.

Entre agosto e outubro de 2000, a frente XI em Ação disputou eleitores, debateu os rumos da USP e do Brasil e, como era previsível, martelou na tecla da transparência. Um dos programas propostos era justamente o Tesouraria em Foco, reflexo direto de tudo o que haviam aprendido na temporada anterior. "No último ano, muito se falou com relação à administração", dizia um dos capítulos da carta-programa. "No entanto, a discussão sobre transparência e a competência da gestão de 1999 foi substituída por uma prática absolutamente irresponsável de acusações falsas que tinham como objetivo não apurar o que realmente aconteceu em benefício dos alunos, mas sim beneficiar um grupo político que não se mostrou interessado em realizar uma gestão para os alunos".

Liderada por Diogo, que acumularia a presidência com a coordenação financeira da gestão, ao lado de Uirá Machado, do VAP, a chapa tinha nas outras funções muitos dos companheiros de Ruptura que haviam participado da excursão ao ENED. O paraense Ademir Figueiredo assumiria a coordenação de comunicação, enquanto Alamiro Netto ficaria com a coordenação de graduação. Lívia, por sua vez, debutaria na gestão do XI de Agosto em caso de vitória. Escaldada após toda a novela que se sucedeu aos erros da gestão anterior, Lívia dividiria a tesouraria com o colega Rubens Vidigal Neto, do VAP, também aluno do segundo ano diurno. Tesouraria, eles haviam aprendido na marra, não é coisa que se possa terceirizar.

O amor militante atingiu o ápice da entrega e da abnegação entre os meses de setembro e outubro. Além de concorrer à presidência do XI numa candidatura fadada ao fracasso, Diogo, agora no terceiro ano, conciliava os estudos com as atividades do DCE, a própria campanha e o apoio a Marta Suplicy na corrida pela Prefeitura de São Paulo.

Como era esperado, seu oponente levou a melhor na eleição para o XI: Pedro Abramovay foi eleito presidente, puxado pela maior popularidade do PAA naquele momento. E assumiu com a missão nem sempre escancarada de imprimir ao centro acadêmico e ao próprio PAA uma guinada progressista, sem abandonar o discurso de que o movimento estudantil deveria ser desvinculado dos partidos.

Se o Ruptura era publicamente reconhecido como um grupo "petista", não era correto, àquela altura, tachar todos os membros do PAA de "tucanos" ou direitistas. Abramovay também votava no PT e, àquela altura, estava igualmente engajado na eleição de Marta para a Prefeitura e na oposição ao governo FHC, assim como outros colegas de chapa, como Ivo Corrêa, Luiz Gustavo Bambini e Felipe de Paula.

Pedro e Diogo viriam a se encontrar muitas vezes nos anos seguintes, não mais como oponentes, mas no mesmo lado do balcão, tanto na gestão municipal quanto, mais adiante, em Brasília.

A frustração de Diogo com a derrota, já prevista, foi prontamente suplantada pela alegria de ver Marta Suplicy substituir Celso Pitta na Prefeitura. Sua vitória, então pelo PT, encerrava oito anos de malufismo em São Paulo, num momento de profunda decepção com a política. Primeiro prefeito negro da cidade, vitorioso nas urnas graças ao capital político de seu mentor e antecessor, o ex-governador e ex-prefeito Paulo Maluf, Pitta tivera um desempenho pífio na administração e acabaria sucumbindo após uma série de escândalos, entre eles o da máfia dos fiscais, que envolvia denúncias de corrupção e improbidade administrativa nas subprefeituras. A CPI instalada em 1999 na Câmara Municipal para investigar tais irregularidades tinha sido presidida pelo vereador José Eduardo Martins Cardozo, então com 39 anos, advogado e professor de Direito da PUC, o que contribuiu para a grande adesão dos estudantes de Direito, não somente da PUC mas também da São Francisco, à proposta de *impeachment* do então prefeito, derrubada na Câmara. Novamente candidato naquele ano, Cardozo receberia mais de 229 mil votos e voltaria ao Legislativo municipal como o vereador mais votado, não apenas naquele pleito, mas em toda a história da Casa, superando o então recordista Brasil Vita, um político de direita que fora eleito em 1982 com quase 215 mil votos.

O governo Marta, por sua vez, representava a volta do PT à administração municipal, oito anos após o fim do governo da também petista Luiza Erundina. E marcaria o início da trajetória de Diogo na administração pública. Logo em 2001, primeiro ano daquele governo, Diogo foi convidado pelo secretário municipal de Transportes, Carlos Zarattini, a integrar a equipe da Secretaria. Engenheiro, filiado ao PT desde 1987, duas vezes secretário-geral do sindicato dos metroviários e deputado estadual no primeiro mandato, Carlos era filho do militante comunista Ricardo Zarattini, um dos quinze presos políticos libertados e exilados em 1969, em troca do embaixador norte-americano Charles Burke Elbrick. Carlos também era marido da socióloga Cida Perez, muito amiga de Catarina Silvério, colega da Carminha na Fundação SEADE. Cida também viria a integrar o primeiro escalão do governo Marta, assumindo a Secretaria de Educação em 2003.

Foi por intermédio de Carminha que Zarattini entrou em contato com Diogo e lhe fez um convite: ele queria formar um grupo com jovens estudantes de Direito a fim de repensar a legislação que regia os serviços de transporte na cidade e ajudar a criar soluções mais modernas e criativas para a área. Além de Diogo, outros colegas da São Francisco aderiram ao mandato, incluindo os companheiros do Ruptura Mario Schapiro e Fernando Neisser. O grupo ajudou a reestruturar a legislação municipal dos transportes, então dispersa e confusa, e enfrentou diversas batalhas jurídicas para impedir a atuação das peruas clandestinas que circulavam em sistema de lotação, sobretudo nas periferias. Quando uma perua era apreendida pela fiscalização, logo vinha uma liminar autorizando sua atividade, num contencioso infinito. Também os donos das empresas concessionárias dos ônibus viviam às turras com a Prefeitura, numa queda de braço permanente, sobretudo quando havia a necessidade de fechar contratos emergenciais. Tudo era motivo de disputa: o valor pago por quilômetro rodado ou por passageiro transportado, a idade da frota, o intervalo entre os ônibus.

Não demorou para que Zarattini designasse Diogo para uma tarefa que marcaria para sempre sua trajetória na administração pública: receber e atender as demandas da população. Diogo atuava como uma espécie de Serviço de Atendimento ao Cliente (SAC), um serviço de atendimento ao cidadão. Ouvia reclamações e sugestões e corria atrás das soluções.

Chegava até ele todo tipo de reivindicação. Do morador da periferia que precisava de uma linha de ônibus que atendesse seu bairro, ainda desprovido de transporte público, ao perueiro que se sentia prejudicado pela ilegalidade do serviço que prestava. Diogo tornou-se a voz do paulistano junto à Secretaria, um elo vocacionado para a construção de uma gestão porosa e verdadeiramente participativa.

No final de 2001, numa nova tentativa de recuperar o prestígio político e retornar ao comando do XI, quem assumiu a cabeça de chapa do Ruptura foi a Lívia, sinal de que o amor militante estava mais vivo do que nunca e nutria-se de uma cumplicidade invejável. Se, no ano anterior, a figura central na disputa acadêmica tinha sido ele, agora seria a vez dela. Se, no ano anterior, Lívia aparecia na chapa como tesoureira, agora o tesoureiro seria ele. Nessa alternância de protagonismos, a mulher acabou levando a melhor. Lívia foi eleita para a gestão de 2002, evitando o terceiro mandato consecutivo do PAA.

A sensação de alívio foi imensa. Havia, sobretudo, um sabor adocicado de superação. A justiça havia sido feita pela primeira vez desde a torpe e violenta acusação de corrupção de que o Ruptura havia sido vítima.

Lívia seria a segunda mulher a presidir o XI nos 100 anos de existência daquele centro acadêmico. E num ano chave, repleto de disputas importantes.

Para Diogo, aquele parecia o melhor dos cenários. Reabilitado politicamente, de volta às trincheiras do movimento estudantil em sua própria casa, cuidando da tesouraria e companheiro da presidenta, embalado num amor militante em curva ascendente após dois anos de inferno astral, trabalhando na Prefeitura e prestes a concluir a graduação, Diogo entrou em 2002 com as baterias recarregadas e uma energia vital ainda maior do que a habitual.

Só faltavam duas coisas acontecerem naquele ano: a seleção brasileira ser pentacampeã e o Lula chegar à Presidência da República.

10

A taça do mundo é nossa

— Cadê minha cueca?

Copa do Mundo, semifinal, a seleção brasileira chegando perto da taça pela quinta vez. Definitivamente, não era o momento de perder a calma, muito menos a cueca.

Até aqui, tudo bem. Campanha invicta, três vitórias na fase de grupos, vitória por 2x0 sobre a Bélgica nas oitavas e por 2x1 sobre a Inglaterra nas quartas de final. Agora era a vez de enfrentar a Turquia, aparentemente um time mais fraco do que as duas seleções anteriores, sem a mesma tradição, nenhum título mundial, nenhuma estrela na camisa. Mas e se ele não vestisse a cueca da sorte e o Brasil perdesse para a Turquia? Diogo jamais conseguiria se perdoar. Por isso mesmo, não havia aquela opção. Era preciso encontrar a cueca.

Quem convivesse com ele no trabalho ou na sala de aula sem jamais compartilhar uma torcida em dia de jogo importante - e todos os jogos eram importantes - dificilmente teria a dimensão do que uma cueca poderia representar. E a superstição não se limitava à cueca. Muitas vezes, havia o par de meias adequado e a camiseta correta. Isso quando Diogo não cismava de calçar chuteiras, mesmo que fosse para ficar no sofá.

Não havia religião que influenciasse as tomadas de decisão em sua vida, nem fé que limitasse seus passos. Tampouco ritual sagrado que o absorvesse. Nunca teve. Diogo não foi batizado, não frequentava missa, culto, sessão, gira ou xirê. Nunca comungou, jamais teve uma imagem de santo em casa. Nem mesmo um São Jorge alvinegro tatuado no braço, nenhuma medalhinha ou escapulário no pescoço.

Havia uma honrosa exceção. No vestiário, em dias de jogo, terminada a preleção com o time antes de entrar em campo, enquanto muitos oravam pedindo proteção na batalha por vir, Diogo rezava junto. Quem procurasse em seus bolsos, no entanto, jamais encontraria terço nem guia, tampouco amuleto. Nada de trevo, figa, olho turco, patuá ou pé de coelho. Mas ai de quem descobrisse sua relação com as roupas da sorte e ousasse implicar com elas.

O principal era a cueca. Ninguém sabia ao certo o que orientava sua escolha. Talvez o feitiço estivesse em repetir a mesma cueca que ele vestira numa partida anterior, decisiva em algum campeonato vitorioso. O que havia de concreto é que encarar um jogo da seleção desprovido da cueca adequada não era algo prudente.

— Achei!

Ufa, tudo certo. Vestida a cueca, Diogo sabia que a seleção não perderia, pelo menos não por negligência dele. Poderia até perder, mas aí a culpa seria do Felipão, do Ronaldo Fenômeno, do Roberto Carlos ou do Rivaldo, mas jamais do Diogo.

Devidamente uniformizado, Diogo podia finalmente seguir para a faculdade, onde um telão esperava por ele.

Na Copa anterior, muitos jogos haviam sido conferidos ali, na sua casa. Carminha, Sophia e Diogo haviam acabado de se mudar do Socorro para lá e estavam entusiasmados com a possibilidade de, pela primeira vez, encher a casa de gente. Não era uma casa grande, mas acomodava facilmente meia dúzia de convidados. Ou até uma dúzia, se parte do povo topasse ficar de pé. Como a Copa do Mundo era uma ocasião para lá de especial, Diogo chamou logo quinze.

Aluno do primeiro ano de Direito em 1998, Diogo tinha a proeza de juntar na mesma sala a mãe, a avó, os amigos do Equipe, do futebol, do PT e da São Francisco. O resultado, naquele ano, foi um frustrante segundo lugar: o sonho do pentacampeonato despedaçado na partida final, vencida por 3x0 por uma seleção francesa matadora, dona da casa, liderada pelo craque franco-argelino Zinédine Zidane, eleito o melhor jogador do mundo pela Federação Internacional de Futebol (FIFA) naquele ano.

Agora, rumo ao penta, sua torcida precisou migrar para a Faculdade de Direito. A gestão do Ruptura havia encampado o projeto XI na Copa, que consistia basicamente em transmitir os jogos do Brasil num telão instalado no porão. E, muito embora as partidas no Japão e na Coreia começassem em horários traiçoeiros, entre 3h30 e 8h30 no horário de Brasília, pelo menos os jogos do período matutino entravam na programação. Para Diogo, essas partidas tinham um sabor especial. Elas pareciam representar o ápice da união entre futebol e movimento estudantil, duas de suas maiores cachaças, principalmente naquele que, tecnicamente, seria seu último ano na universidade. Àquela altura, ainda era difícil saber se ele conseguiria fechar todos os créditos até dezembro, principalmente num ano com eleição e Copa do Mundo, mas não havia dúvida de que, nos anais da São Francisco, Diogo ficaria listado como um dos formados da turma de 2002.

Brasil e Turquia entraram em campo às 8h30 de uma quarta-feira. Aliviado por ter conseguido encontrar a cueca certa, Diogo bebericava a primeira cerveja do dia quando o goleiro Marcos, craque do arquirrival Palmeiras, defendeu um petardo de cabeça de Alpay Özalan no canto direito. Caramba. Era só o que faltava o Brasil precisar correr atrás do adversário. Já tinha sido difícil começar em desvantagem no jogo contra a Inglaterra, pelas quarta de final, dias antes. Desta vez, São Marcos, como o goleiro era chamado pelos torcedores de seu time, estava inspirado. Saltou e pegou.

A partir daí, foi um tal de roer unha, xingar juiz, socar parede, berrar nome de jogador e entoar grito de torcida. Cafu quase marcou. Ronaldo Fenômeno, estreando o penteado "cascão", também. Rivaldo por pouco não converteu um golaço. Quando as duas seleções chegaram ao intervalo sem sair do 0x0, havia quem desanimasse. O alívio só veio aos 4 minutos do segundo tempo, quando uma bicuda de Ronaldo, astro da Copa, abriu o placar. Diogo não se aguentou de contentamento. Felipão mandou todo mundo recuar e tratou de administrar a vantagem até terminarem os acréscimos.

No domingo seguinte, a grande final reuniu Brasil e Alemanha no estádio de Yokohama. Como sempre, havia na São Francisco quem torcesse contra. A seleção não merecia, os jogadores faziam corpo mole e só queriam saber de grana, a vitória favoreceria o candidato a presidente apoiado por FHC. Argumentos não faltavam. Diogo não suportava esse tipo de conversa. Para ele, só quem não entendia nada de povo era capaz de torcer contra a seleção brasileira. Nem em 1970 havia dado certo, quando havia milhões de razões para que os democratas refutassem o ufanismo do "ame-o ou deixe-o". No mais, ainda segundo Diogo, aquele ranço era um tiro no pé político: uma babaquice de quem não ama o Brasil para valer. Por via das dúvidas, melhor torcer.

Mais uma vez, o porão do XI amanheceu agitado. Mais uma vez, a cerveja corria solta antes das 8 horas da manhã. Mais uma vez, o primeiro tempo terminou em 0x0, para desespero da audiência canarinho aboletada no QG da rua Riachuelo. Até que, aos 22 minutos do segundo tempo, Ronaldo mostrou a que veio, aproveitando um rebote do goleiro adversário. A redenção veio doze minutos depois, também pelos pés do "Fenômeno", que marcou um golaço da meia-lua e garantiu o pentacampeonato à seleção após uma campanha invicta. "100% Jardim Irene", o capitão Cafu rabiscou na camiseta antes de levantar a taça, referindo-se ao modesto bairro onde cresceu, no distrito do Capão Redondo, na mesma Zona Sul paulistana que abrigou Diogo e onde ele aprendeu a escolher a cueca certa nos dias de jogo

11

Lula lá

O acesso de carros à Esplanada dos Ministérios estava interrompido desde cedo. Da rodoviária à Praça dos Três Poderes, nenhum automóvel trafegava pelo Eixo Monumental. Os bolsões de estacionamento do Museu da República e do Teatro Nacional amanheceram tomados por vans e ônibus fretados. Em muitos deles, milhares de viajantes do Ceará, do Rio Grande do Norte, do Pará, de Rondônia ou de Santa Catarina haviam inaugurado 2003 na estrada, em excursões organizadas por diretórios municipais do PT, centros acadêmicos ou sindicatos.

Em frente ao Palácio do Planalto, dezenas de turistas acampavam desde a véspera e, como tietes ávidos por um aceno de um astro *pop*, contavam as horas para ver o novo presidente subir a rampa. Nem as pancadas de chuva que atingiram Brasília durante a madrugada haviam afastado os acampados, tampouco ameaçavam atrapalhar a cerimônia. Havia chegado o tão esperado dia da posse de um torneiro mecânico, o retirante que escapara da fome no semiárido de Garanhuns (PE) para se transformar no maior líder sindical do país, o primeiro metalúrgico eleito presidente da República.

Aos 22 anos, Diogo conduzia a mãe pelo braço. Os dois haviam viajado de carro no dia 30, mais de mil quilômetros em quase quatorze horas de estrada, para presenciar aquela festa. Lívia e muitos amigos do XI de Agosto e do DCE da USP também estavam lá. Parte deles havia cruzado o interior de São Paulo e o Triângulo Mineiro num ônibus fretado pelo Garantia de Luta, grupo político liderado pelo então secretário municipal de Habitação, Paulo Teixeira, e pelo deputado estadual eleito Simão Pedro, que tomaria posse na Assembleia Legislativa dali a um mês.

O núcleo duro do Ruptura havia se aproximado do Garantia de Luta três anos antes, quando Vinícius presidia o centro acadêmico e Paulo Teixeira era deputado estadual. Num domingo, com o centro da cidade às moscas e a faculdade completamente vazia, a diretoria do XI estava reunida no porão da São Francisco para organizar uma atividade quando se deparou com uma reintegração de posse num imóvel logo em frente, uma ocupação na rua do Ouvidor. Era uma operação policial violenta, com tropa de choque fechando o acesso à rua e colchões sendo jogados no meio do passeio público. Os estudantes ficaram horrorizados. Sacaram a agenda de telefones do XI e começaram a ligar para os políticos que tinham alguma chance de ajudar naquele momento. Num dos números, alguém avisou que Paulo Teixeira já estava a caminho.

Bacharel em Direito pela São Francisco e com atuação reconhecida na área dos movimentos populares, o deputado havia sido alertado da reintegração de posse pelos próprios integrantes do Movimento de Moradia do Centro (MMC), o grupo que ocupara aquele prédio. O edifício, esvaziado havia muitos anos, pertencia à Secretaria de Cultura, e Paulo Teixeira dialogava periodicamente com alguns dos líderes envolvidos naquela ação, como Benedito Roberto Barbosa, o Dito, e Luiz Gonzaga da Silva, o Gegê. Volta e meia o nome do parlamentar aparecia nos jornais, manifestando-se em defesa da função social da propriedade, uma garantia constitucional ainda pouco conhecida e quase nunca respeitada no Brasil. Quando chegou ao endereço conflagrado, na rua do Ouvidor, Paulo encontrou meia dúzia de estudantes da faculdade de Direito, entre eles dois casais com os quais estabeleceria uma relação duradoura: Vinícius e Carol, Diogo e Lívia. O deputado interveio, negociou com as autoridades, conseguiu adiar a integração e, nos dias que seguiram, levou a turma do XI para conhecer outras ocupações no entorno da Praça da Sé. A experiência culminou na criação de um núcleo de direitos humanos e movimentos sociais no Ruptura, estendido ao centro acadêmico todas as vezes que assumiram a gestão.

Quando o PT venceu a eleição para a Prefeitura, em 2000, a indicação de Paulo Teixeira para a Secretaria de Habitação pareceu uma escolha natural. E ele, uma vez secretário, convidou Vinícius – e mais tarde a Carol – para trabalhar na SEHAB, ainda em 2001. Na mesma época, Diogo foi trabalhar no gabinete do Carlos Zarattini na Secretaria de Transportes e Lívia virou candidata e venceu a eleição para a presidência do XI.

Entre agosto e outubro de 2002, todos eles se engajaram na campanha do Simão Pedro para a Assembleia Legislativa. Diante da decisão de Paulo Teixeira de continuar na Secretaria, era imperativo que o grupo político retomasse a vaga na Assembleia Legislativa de São Paulo (ALESP), tarefa atribuída a Simão Pedro, que até recentemente chefiava o gabinete do Paulo. Quando chegou o dia de pegar a estrada rumo a Brasília, Simão já havia começado a montar a equipe. Vinícius logo seria nomeado chefe de gabinete. Lívia iria para a assessoria jurídica e, em breve, assumiria a missão de elaborar um projeto de lei inédito em São Paulo sobre uso de *software* livre na administração pública. Todos estavam naquele ônibus fretado.

Diogo, por sua vez, entendeu que aquele momento deveria ser compartilhado com a mãe e, por isso, optou por viajar no Ford Fiesta cinza que ele comprara de segunda (ou terceira) mão, assim que os primeiros salários da Secretaria de Transportes começaram a entrar. Intuitivamente, ele também buscava evitar qualquer tipo de atrito ou ciumeira na equipe da secretaria em que trabalhava, então vinculada a outro grupo do PT, um partido que enfrentava as dores do crescimento com dezenas de tendências internas. Agora, a poucas horas da transmissão da faixa, representantes de todas elas se encontravam na Esplanada dos Ministérios, irmanados na vitória e entusiasmados com o futuro que se avizinhava: o Brasil criança na alegria de se abraçar.

Carminha exultava. Sentada no chão diante da Catedral de Brasília após andar mais de um quilômetro, ela, aos 52 anos, estava prestes a realizar um sonho. Ali, bem em frente, Lula trocaria o carro oficial pelo Rolls-Royce conversível por volta das 14h30, segundo a programação divulgada pelo PT. De lá, seguiria com o vice José Alencar rumo ao Congresso Nacional.

Diogo tinha toda a estratégia desenhada na cabeça. Enquanto o presidente estivesse discursando no plenário da Câmara, eles atravessariam o trecho da Esplanada entre a Catedral e a rampa de acesso à chapelaria do Congresso. Quando Lula deixasse o prédio, já empossado, eles estariam a postos para ver de perto e aplaudir.

Segundo a liturgia da sucessão, o rito começaria na sede do Legislativo, onde presidente e vice jurariam fidelidade à Constituição e assinariam o termo de posse. A partir desse momento, o país passaria a ser governado pela nova equipe. O primeiro discurso à Nação seria feito no próprio plenário, após a execução do Hino Nacional. Cumprida a primeira etapa, presidente e vice deixariam o prédio, assistiriam a uma apresentação da Esquadrilha da Fumaça e embarcariam novamente no Rolls-Royce, rumo ao Palácio do Planalto para a transmissão da faixa e o discurso no parlatório.

O olhar de Carminha era de júbilo e consagração. Depois de tanta luta, de tantas batalhas, o universo parecia conspirar a seu favor. A mãe de Diogo jamais havia tido essa sensação, não com a mesma intensidade. Agora, de uma hora para outra, Carminha sentia uma calorosa sensação de orgulho e esperança. O único filho acabara de concluir o último ano do curso de Direito de maior prestígio do país. E Lula, depois de três derrotas, estava a poucos minutos de virar presidente.

Sua militância de vida toda, no Partido Comunista, no PT, nos setoriais de saúde, na Fundação SEADE ou no movimento de mulheres, havia contribuído para essa vitória. E, juntas, as duas novidades sinalizavam para o início de uma fase promissora, de ampliação de direitos e justiça social, e também de conquistas no âmbito familiar.

Diogo compartilhava de sensações muito parecidas. E, agora abraçado com Lívia, entendia aquele momento como o ápice do amor militante que os dois teimavam em tecer, com altos e baixos, desde 1999. Ao mesmo tempo, sabia que aquilo era só o começo. Depois de uma vida inteira na oposição, como seria a experiência de ser governo?

Enquanto o Rolls-Royce se aproximava do Congresso, Diogo lembrou os plantões com a prima Dani em frente à casa do Socorro em dia de eleição. Lembrou o dia em que pulou o muro da escola para pedir o *impeachment* do Collor em frente ao MASP. Lembrou as reuniões do Voz Ativa, as panfletagens nas estações da CPTM com Maíra e o xará Diogo Moyses, os encontros do Princípio, as campanhas do Lula e da Marta, o Ruptura, os perrengues no XI.

A decisão de viajar tinha sido instantânea. Lula vencera o segundo turno no dia 27 de outubro e, uma semana depois, Diogo já combinava com Lívia e Carminha os detalhes sobre o *réveillon*. Militante pragmático, o rapaz não concebia outra hipótese que não fosse passar a virada no Distrito Federal. Por isso, a conversa não teve início com "vamos para Brasília?", mas com um inaudito "onde vamos ficar?".

Carminha foi falar com o ex-colega Otávio Balsadi, que meses antes havia deixado a Fundação SEADE para assumir um emprego concursado na Empresa Brasileira de Pesquisa Agropecuária (EMBRAPA). Instalado provisoriamente em Brasília desde então, Otávio viu o provisório se transformar em permanente assim que sua mulher, a agrônoma Maya Takagi, foi confirmada na equipe de transição, na área de segurança alimentar e combate à fome. Antes de acabar novembro, o casal alugou um apartamento na 214 Norte, perto do Parque Olhos d'Água. Carminha não hesitou em se convidar para uma visita.

— Nós vamos para a posse — contou. — Podemos ficar na sua casa?

Com Maya e Otávio, Carminha e Diogo passaram o *réveillon* no Clube do Congresso, um complexo social e esportivo à beira do Lago Paranoá. Em todas as festas de Ano-Novo na cidade, amigos esbarravam uns nos outros. Eram pessoas que haviam ido somente para a posse, como eles, ou que estavam de mudança para integrar o novo governo.

No dia 31, Diogo, Lívia, Carminha, Vinícius e Carol foram até a entrada da Granja do Torto, onde Lula e família estavam hospedados, na esperança de ver o presidente de perto e ganhar um aceno. Não rolou. Ainda assim, tiraram fotos diante da placa com o nome do lugar, segurando uma bandeira do PT, e seguiram para outros pontos turísticos da capital. Vinte e quatro horas depois, quem diria, estavam ali, de vermelho, assistindo a um momento histórico.

Pela primeira vez em quarenta anos, desde que Jânio Quadros substituiu Juscelino Kubitschek, em 1961, um presidente eleito pelo povo transmitiria a faixa para um presidente eleito pelo povo. Fernando Henrique Cardoso garantiu que a alternância de poder se daria da forma mais democrática possível. Na hora de tirar a faixa e colocá-la sobre os ombros de Lula, FHC se atrapalhou e deixou cair os óculos. Lula se abaixou, pegou os óculos no chão e os devolveu ao antecessor. Uma multidão de 150 mil pessoas acompanhou de perto aquele momento, segundo os jornais. O PT divulgou 200 mil.

— A nossa vitória não foi o resultado apenas de uma campanha que começou em junho e terminou no dia 27 de outubro — Lula discursou no parlatório. — Antes de mim, companheiros e companheiras lutaram. Antes do PT, companheiros e companheiras morreram neste país, lutando para conquistar a democracia e as liberdades.

Suas palavras falavam ao coração de Carminha e arrepiavam os pelos dos braços de Diogo. Carminha lembrou os maus-tratos sofridos no DOI-CODI, a atuação do PCB na clandestinidade, cada uma das eleições perdidas.

— Eu não sou o resultado de uma eleição. Eu sou o resultado de uma história. Eu estou concretizando o sonho de gerações e gerações que, antes de mim, tentaram e não conseguiram.

Diogo segurava as mãos de Lívia. Uma hora antes, no plenário da Câmara, Lula havia discorrido mais longamente sobre suas prioridades, falara sobre soberania nacional, política econômica, retomada do crescimento e, principalmente, sobre combate à fome, sobre o compromisso de garantir a cada brasileiro um mínimo de três refeições por dia.

— Enquanto houver um irmão brasileiro ou uma irmã brasileira passando fome, teremos motivo de sobra para nos cobrirmos de vergonha — afirmou. — Como disse em meu primeiro pronunciamento após a eleição, se, ao final do meu mandato, todos os brasileiros tiverem a possibilidade de tomar café da manhã, almoçar e jantar, terei cumprido a missão da minha vida.

A Praça dos Três Poderes havia se transformado num mar vermelho. Enquanto dezenas de apoiadores driblavam a segurança e se jogavam nos espelhos d'água, Diogo analisava o cenário visivelmente emocionado e, estrategista aplicado, esboçava duas convicções. A primeira, que na política é preciso dialogar, haja o que houver, custe o que custar. A segunda, que nem o PT nem Lula nem a equipe de governo teriam o direito de errar.

12

O baque

Diogo parou o carro de qualquer jeito em frente ao número 1.052 da rua Bartira e desembestou escada acima, pulando os degraus de dois em dois. Havia gente demais no estreito corredor. Houve quem cogitasse interceptar sua caminhada numa tentativa mal-ajambrada de ganhar alguns segundos a fim de prepará-lo para o impacto. Não adiantou. A porta escancarada e o entra e sai de pessoas em seu apartamento confirmou o que Diogo temia. Ali, no sofá da sala, jazia o corpo de sua mãe.

Diogo desabou. Ajoelhado no chão, ao lado do sofá, agarrava o corpo inerte da mãe e chorava cântaros. Juntava a frustração de não ter estado com ela em seus últimos instantes com o desamparo da orfandade, o fato de ser filho único, não ter um irmão ou irmã com quem compartilhar aquela dor, aquela ausência.

Lívia chegou à sala segundos depois. Havia represado uma tensão gigantesca desde que recebera um telefonema de sua mãe, Graça, uma hora antes.

— Leva o Diogo pra casa — ela dissera. — Não conta para ele agora, mas a mãe dele faleceu.

Lívia ficou dura como uma pedra. O que fazer numa hora dessas? Os dois ainda estavam se espreguiçando na Casa do Estudante e Diogo irradiava a alegria de quem havia acabado de ver, na véspera, o Corinthians conquistar o título do Paulistão após duas vitórias sobre o São Paulo pelo mesmo placar de 3x2. Era um domingo, 23 de março, e faltavam apenas três dias para Diogo fazer aniversário. Não era justo ser a mensageira de uma notícia tão dolorida.

— Mico, levanta, vamos pra Bartira!

— Tá cedo, preta.

— Aconteceu alguma coisa com a tua mãe.

Os paramédicos haviam feito o possível. Sophia, a avó, estava desconsolada. Duas horas antes, ela havia testemunhado o que parecia ser um infarto da filha e, tomada pelo medo e pelo senso de urgência, pusera-se a gritar por socorro. Carminha havia passado mal e caído no banheiro. Foram os vizinhos que prestaram os primeiros socorros e telefonaram para a dra. Albertina. Ao chegar, a médica já não pôde fazer mais nada.

Agora, Albertina buscava manter a calma diante da partida irremediável da melhor amiga. Havia uma série de trâmites burocráticos com os quais lidar. E uma desconfortável sensação de que, por mais que aquele momento fosse esperado, nunca se está pronto para lidar com a morte.

Dr. Mendes, o médico amigo de Albertina que vinha acompanhando mais de perto a saúde de Carminha, costumava confidenciar com a colega que a resistência de sua paciente era quase um milagre. As raras pessoas no mundo diagnosticadas com a mesma síndrome, com as mesmas sequelas de uma tuberculose óssea nunca tratada, não haviam ultrapassado os 40 anos. E ali estava Carminha, aos 52, sobrevivente, destemida, corajosa, frequentando o Sesc Pompeia, viajando quatorze horas de carro para ver a posse do Lula, rodopiando com o filho na festa de formatura.

— Ela precisa ver o filho se formar — Albertina argumentava com dr. Mendes. — Pelo amor de Deus, trate dela, faça tudo, faça o que for preciso para ela ver o Diogo formado.

A festa de formatura acabara de acontecer. Tecnicamente, Diogo ficou devendo uma disciplina para cursar em 2003. Mas, no livro dos formandos e na festa, acompanhou a turma que havia ingressado com ele em janeiro de 1998. Parecia que Carminha estava apenas esperando por essas duas coisas, ver o Lula presidente e o filho formado. Sentiu um orgulho danado ao vê-lo de beca e canudo na mão. Na cerimônia oficial, Diogo, um dos raros estudantes negros naquela turma, anterior à adoção de cotas na São Francisco, vestia traje completo, com capelo (aquele chapéu quadrado com uma cordinha pendendo de um dos cantos), jabor (mais conhecido como babador) e faixa abdominal, vermelha.

Numa foto, Diogo segura com os amigos Fernando Neisser e Mato Grosso um cartaz com uma frase rabiscada a mão: "Hasta la victoria siempre", a mítica assinatura com que o revolucionário Che Guevara costumava terminar suas cartas e discursos.

À festa, Diogo compareceu de *smoking* e gravata borboleta. Num elegante vestido estampado em tons de preto e lilás, Carminha sorria permanentemente e não disfarçava a admiração pelo filho bacharel. Ele havia conseguido. Eles haviam conseguido. O menino do Socorro havia se formado em Direito no Largo de São Francisco, a universidade centenária que parecia um palácio e que eles observavam da janela do ônibus entre a Praça do Patriarca e a Brigadeiro, a mesma faculdade de Álvares de Azevedo e Ruy Barbosa, Oswald de Andrade e Lygia Fagundes Telles.

Ajoelhado ao lado da mãe, Diogo chorava. Por que agora? Não fazia sentido, não era justo. Agora que as coisas estavam dando certo, que tudo ia começar a melhorar? Agora que ele estava empregado, andando com as próprias pernas, planejando alugar um apartamento com Lívia? Agora que a mãe ia ter finalmente um quarto só para ela?

Carminha foi sepultada com música, no cemitério Gethsêmani, no Morumbi. Frequentadora assídua do Samba da Vela, uma roda fundada no ano 2000 em Santo Amaro, na Zona Sul, a mãe do Diogo ganhou uma homenagem que deixou todo mundo arrepiado. Enquanto o corpo era velado, começou a chegar gente com tantan, rebolo, surdo. Um deles puxou o coro. A roda foi crescendo e, de repente, a cantoria era geral. Um sambão raiz, pesado, com repique e marcação, com todos os clássico e sambas-enredos que Carminha colecionava e costumava cantar de cor.

Sem pregar o olho desde o dia anterior, Diogo cantava todas as músicas, costurando um samba no outro, misturando choro e energia, transformando o que poderia ser somente uma tarde triste, de despedida, num momento de afeto, solidariedade e consagração.

O luto chegaria com força um dia depois. Diogo não queria mais morar naquele apartamento. Não conseguiria. Tampouco tinha estrutura para organizar as coisas da mãe, conferir papelada, separar roupas, doar ou jogar fora objetos. Lívia assumiu esse papel e, principalmente, veio ficar com ele. Os dois começaram a morar juntos naquele dia.

13

Brincando de casinha

Morar com a namorada era algo que Diogo precisaria aprender do zero. Não apenas porque nunca havia tido essa experiência, mas também porque jamais tivera essa referência na própria casa. Ali, foram sempre Diogo, a mãe e a avó. Por vezes, a tia.

Desde que ele nascera, nenhuma daquelas mulheres havia dividido o quarto, a mesa e a rotina com um marido ou companheiro. Nem a educação dos filhos, a conta bancária ou os planos para o futuro. Os pais de Lívia também haviam se separado antes do início do namoro dos dois. Nada disso, nem a ausência do pai, que ele jamais conhecera, nem a separação relativamente recente dos sogros, atrapalhou o impulso que Diogo e Lívia sentiram de construir uma vida a dois.

A morte repentina de Carminha ajudou a apressar as coisas. Fragilizado, Diogo chegou a expressar verbalmente o pedido para que Lívia o ajudasse a atravessar aquela fase, a cuidar dele. Ficar sem ela no apartamento da Bartira havia se tornado algo penoso. E Diogo estava decidido a não continuar morando naquele lugar.

A decisão pode não ter sido a mais acertada. O contrato assinado pela mãe ao financiar o imóvel incluía uma apólice de seguro que determinava a quitação imediata em caso de morte da compradora. Embora houvesse muitas parcelas a serem pagas, toda a dívida foi extinta naquela triste manhã de março. O apartamento, portanto, era de Diogo. Se Lívia simplesmente se mudasse para lá, eles não precisariam desembolsar mais nem um real de mensalidade ou aluguel. Ainda assim, aquele era o apartamento da Carminha e o filho não concebia a hipótese de continuar morando onde ela havia morrido. Também havia a avó Sophia e tudo o que sua presença representava.

Diogo havia vivido quase seis anos naquele endereço e guardava as melhores lembranças possíveis. Mas, agora, havia chegado o momento de inaugurar uma nova etapa, em que ele e Lívia construiriam um novo espaço e uma nova família, jornada que, sem negar tudo o que viveram até ali, teria de ser uma construção só deles.

Mesmo esse pensamento era demasiadamente novo para Diogo. Até então, ele muito excepcionalmente cogitava se separar da mãe. Sobretudo em razão da deficiência física de Carminha, o filho havia se acostumado com a ideia de que ela estaria sempre por perto. Mesmo que, no começo, cada um ficasse numa casa – a primeira separação em 23 anos –, haveria necessariamente um quarto para Carminha na nova casa.

Meses antes, em janeiro, Lívia e Diogo haviam começado a procurar um lugar para morar. Procurar talvez seja uma palavra forte demais. Eles estavam, digamos, abertos para essa possibilidade. Viam uma placa, pegavam um fôlder ou visitavam um amigo e punham-se a observar a disposição dos cômodos e a sondar o preço do aluguel, imaginando se aquele seria um apartamento legal, numa localização interessante. E faziam contas para descobrir o tamanho do investimento que poderiam fazer somando o salário dele na Secretaria de Transportes e o dela na ALESP.

Agora, a mudança era premente. Os dois chegaram a namorar um apartamento na Alameda Ribeirão Preto, a dois quarteirões da Avenida Paulista, a meio caminho do centro velho, onde ele trabalhava, e o Ibirapuera, onde ela cumpria expediente. Em meados do ano, mudaram-se para a Alameda Campinas, quase esquina com a Alameda Santos, ainda mais perto da Paulista e a apenas duas quadras da estação Trianon-MASP do metrô.

Anos mais tarde, Lívia diria que aquela foi a fase de brincar de casinha, com todas as alegrias e os perrengues do início da vida a dois. Montar apartamento, decidir o que comer, definir os eletrodomésticos prioritários para não estourar o orçamento, receber amigas e amigos, gelar a cerveja (e vestir a cueca certa) para os jogos do Corinthians. Pela primeira vez desde o início do namoro, os dois não tinham uma militância orgânica no Ruptura, não compunham a diretoria do XI de Agosto e não precisavam dedicar a maior parte das noites e do fim de semana à política estudantil.

É verdade que havia dias em que os dois praticamente não se viam. Saíam cedo, trabalhavam o dia todo e só se encontravam à noite. Lívia ainda cursava o quinto ano na São Francisco. Diogo não obtivera nota suficiente numa das disciplinas e ficara de "DP", ou "dependência", que é como os universitários se referiam à obrigação de cursar novamente determinada matéria no ano seguinte, o que o fez bater ponto na Faculdade de Direito uma vez por semana ainda em 2003.

Aos fins de semana, encontravam tempo para arrumar a casa, fazer compras e, pela primeira vez na vida, curtir um amor menos militante do que aquele que os unira quatro anos antes.

Morar na região da Paulista funciona como uma espécie de ímã para a vida cultural da cidade. Agora, as sessões de cinema eram frequentes. E Diogo e Lívia gostavam de ver um pouco de tudo. Um filme iraniano numa semana, um *blockbuster* da Marvel na outra. Quando não iam ao cinema, tratavam de colocar a cinematografia em dia em casa mesmo. Metiam-se entre as cobertas e conferiam o que houvesse na TV a cabo, quando ainda não havia Now, Netflix, Amazon Prime e outras plataformas de *streaming*.

Aos vinte e poucos anos, Lívia e Diogo viviam o auge da intimidade – o que, no caso do Diogo, incluía dormir de cueca e camiseta de candidato. Ele tinha uma coleção delas, de campanhas para prefeito, vereador, deputado e presidente que cobriam pelo menos oito anos de disputa política, de 1994 a 2002. Lívia virava e mexia também vestia uma daquelas camisetas, o que virou motivo de piada.

— Cara, não tem nada mais "antissexo" do que camiseta de candidato.

— Pô, veste pelo menos a camiseta de um candidato que ganhou. Candidato derrotado já é demais.

Essa fase de amor não militante durou menos do que eles gostariam. Não por falta de interesse ou animação, mas porque havia sempre a perspectiva de um novo desafio profissional ou acadêmico, uma nova campanha eleitoral, uma nova disputa política para drenar o tempo e a energia do jovem casal. No segundo semestre de 2003, Lívia pelejava para cumprir os créditos pendentes e poder se formar, ao mesmo tempo em que Diogo trilhava novos caminhos profissionais, agora na Secretaria Municipal de Habitação.

A temporada na Secretaria de Transporte havia terminado no final do ano anterior, na mesma época em que Carlos Zarattini fora substituído por Jilmar Tatto à frente da pasta. Diogo tinha sido deslocado para funções que lhe pareciam mais burocráticas, agora na SPTrans, fazendo-o se sentir estagnado. Chegara a falar sobre isso com a mãe e fora encorajado por ela a não perder tempo num trabalho que considerasse entediante ou inadequado. Diogo relutava, não queria deixar o emprego sem ter para onde ir, e acabou se somando à assessoria jurídica da Secretaria de Habitação (SEHAB), comandada por Paulo Teixeira, onde também trabalhava a amiga Carol Stuchi, colega na Sanfran e namorada do Vinícius.

Nova mudança aconteceria no final de 2004. Em outubro daquele ano, Paulo Teixeira foi eleito vereador e, após a derrota da prefeita Marta Suplicy, então candidata à reeleição, começou a se preparar para entregar a SEHAB e migrar para a Câmara Municipal. Na dança das cadeiras que se sucedeu à eleição, Lívia foi convidada a trocar a assessoria jurídica do Simão Pedro na ALESP, onde havia trabalhado por dois anos, pelo gabinete do Paulo no Palácio Anchieta, enquanto Diogo passou a desempenhar tarefa semelhante no mandato do Simão.

Meses antes, quando partira para um doutorado-sanduíche na Sorbonne Université, em Paris, Vinícius sugerira o nome do amigo para substituí-lo na chefia de gabinete do Simão. O deputado optou por convidar o professor Adalberto Dias de Souza, conhecido como Tim Maia, que anos depois seria subprefeito de São Miguel Paulista, na administração de Fernando Haddad (2013-2016), mas trouxe Diogo para a assessoria jurídica.

Na Assembleia Legislativa, Diogo passou a gerir as demandas que chegavam ao mandato, principalmente as demandas populares, com a missão de dar encaminhamento a elas, transformando as boas sugestões em projetos de lei e as reclamações mais cabulosas em denúncias junto ao Ministério Público. Recebia trabalhadores rurais sem-terra, lideranças dos movimentos de moradia de São Paulo, ambulantes e outras categorias populares com seus relatos, seus gargalos, suas ideias e necessidades.

Entre todas as demandas, Diogo se dedicou de forma notável à defesa do direito à moradia, aproveitando a experiência que havia adquirido na SEHAB. Em 2005, São Paulo vivia uma onda de despejos forçados. Muitas vezes, o Tribunal de Justiça autorizava a reintegração de posse num imóvel abandonado, com dívidas milionárias de imposto predial (IPTU) e outras pendências judiciais. Todo o sistema convergia para esse tipo de decisão. Optava-se por colocar 400 trabalhadores na rua, sob golpes de cacetete e gás de efeito moral, tocando fogo em roupas e colchões, atendendo aos desejos de um especulador ou proprietário que havia descumprido por décadas o princípio constitucional da função social da propriedade, e que, muitas vezes, apresentava um histórico quilométrico de crimes trabalhistas e tributários. Na visão do mandato e dos movimentos de moradia, aquilo não fazia sentido. Se um proprietário devia, por exemplo, 5 milhões de reais para a Prefeitura ou para o Fisco, e o custo da desapropriação do imóvel, já ocupado, era de 5 milhões de reais, por que não fazer um ajuste de contas de modo a trocar a dívida pelo prédio?

Diogo foi convocado a agir. Reuniu-se com tudo quanto era gente: advogados populares, representantes de diferentes movimentos de moradia, juristas, promotores públicos, procuradores da República. Ao fim de quase um ano de pesquisa e trabalho, Diogo elaborou, com o deputado, um projeto de lei que propunha a criação de uma comissão especial mista, com representantes do

Legislativo, da sociedade civil, do Judiciário e do Ministério Público, dedicada a analisar os pedidos de reintegração de posse e deliberar sobre as ordens de despejo. Antes de qualquer decisão judicial, propunham a análise da situação do imóvel e a apresentação de alternativas para as famílias ali alocadas. Foram feitas audiências públicas e o assunto repercutiu, ajudando a cutucar a tendência, consolidada entre juízes, de considerar o direito à propriedade privada hierarquicamente superior aos direitos sociais e coletivos. Diogo dava sinais claros da missão que viria a desempenhar também na cena federal dali a poucos anos.

Entre 2003 e 2006, ao longo da 15ª legislatura, a Assembleia paulista era um território extremamente polarizado, que, por vezes, se transformava em praça de guerra. De um lado, Afanásio Jazadji, Romeu Tuma, Conte Lopes e Coronel Ubiratan (comandante da chacina do Carandiru, em 1992), representavam uma extrema-direita militarista, conservadora e autoritária. De outro, Simão Pedro se alinhava a companheiros de esquerda, como Emídio de Souza, Maria Lúcia Prandi, Renato Simões e Carlos Neder para fazer a disputa democrática, promover no âmbito estadual as ideias e os valores professados pelo governo Lula e fiscalizar a administração tucana de Geraldo Alckmin.

De vez em quando, sobrava tempo para fazer outra disputa, desta vez nos gramados. Embora esporádicas, as partidas entre deputados estaduais e vereadores viraram uma tradição em São Paulo. Alugavam a quadra e iam jogar. Uma vez, Simão Pedro conseguiu levar a partida para o Palestra Itália, o antigo estádio do Palmeiras, no mesmo local do agora ampliado e modernizado Allianz Parque. Diogo pediu ao chefe que desse um jeito para ele entrar em campo. Simão assentiu. Embora os titulares nesses jogos fossem sempre os próprios deputados e vereadores, Diogo ficaria no banco do time dos deputados. Chegando lá, o time dos vereadores apareceu todo uniformizado, enquanto o time dos deputados não tinha sequer um brasão ou as cores da equipe. Um representante da diretoria do clube, ali presente, mandou trazerem camisetas de treino do Palmeiras para o time dos descamisados.

— E agora, Diogo? Vai ter coragem de vestir o manto do Verdão? — provocou o palmeirense Simão Pedro.

— Nenhum problema, Simão. Para jogar neste campo, com vocês, eu visto qualquer camisa.

Uma fotografia do Diogo, jogando no Parque Antártica com a camiseta do Palmeiras, logo circulou entre os amigos e virou instrumento de *bullying*. Quando surgia a necessidade ou o desejo de sacanear o entusiasmado corintiano do

Socorro, havia sempre quem jogasse aquela foto nos grupos de e-mail – e, mais tarde, de WhatsApp.

Ao longo de 2005, Lívia e Diogo compartilharam a rotina de assessores parlamentares, ela no âmbito municipal e ele no estadual. Até que uma nova reviravolta faria a brincadeira de casinha mudar de ares. Na virada de 2005 para 2006, Diogo seria convidado para trabalhar na liderança do PT no Senado Federal.

14

Encontrei o teu pai!

As coisas estavam indo muito bem naquele primeiro trimestre de 2004, Diogo pensava. Ele ainda não advogava, o que o deixava um pouco frustrado, mas, prestes a completar 25 anos, estava curtindo a experiência de brincar de casinha com a mulher da sua vida. Morava num apartamento legal perto da Avenida Paulista, cumpria expediente na Assembleia Legislativa, num mandato popular e de luta que o enchia de orgulho, e levantava todos os dias com a honrosa convicção de que seu trabalho, embora modesto, fazia a diferença na vida de muita gente.

Nem todo mundo pode olhar no espelho ou deitar a cabeça no travesseiro com a mesma alegria e a mesma consciência tranquila. Mesmo assim, Diogo não se acomodava, tampouco reduzia o ritmo. Ele sabia que era possível fazer mais e melhor, e era para isso que chegava cedo e saía tarde quase todos os dias.

"Sua mãe ficaria orgulhosa de você", era o que diziam tia Daize e algumas amigas de Carminha.

E o que meu pai acharia de tudo isso? O que meu pai pensaria de mim? – era o que ele se perguntava.

Desde que perdera a mãe, Diogo pensava com frequência no pai que nunca tivera. Algumas noites, sonhava com ele. Um psicanalista talvez justificasse tal comportamento como natural, uma forma de substituição, eventualmente de compensação, diante do luto ainda fresco. A morte de Carminha havia mudado tudo. Agora, Diogo era órfão, ou assim poderia se considerar. Mas órfão de pai vivo, uma condição que por vezes o deixava intrigado.

Quem aparecia em seus sonhos era uma figura um tanto turva, desfocada, quase sempre sem face. Diogo sabia muito pouco sobre ela. Sabia que o nome de seu pai era Átila e que ele era um cara negro, de classe média-baixa, que tocava violão e gostava de samba na juventude. Apenas recentemente, Diogo havia atribuído um rosto ao pai que aparecia nos sonhos. Aconteceu pouco depois da morte de Carminha. Diante da relutância de Diogo, que não conseguia mexer nas coisas da mãe, Lívia assumiu a tarefa de organizar a papelada da sogra e acabou encontrando uma foto 3x4, em preto e branco, de um rapaz negro com o cabelo crespo. Parecia uma versão vintage do Diogo, com a pele mais escura.

— Encontrei o teu pai! — Lívia anunciou, surpresa.

Não havia nada escrito na foto, nem a data. Pela camisa e pelo papel, presumia-se que era um retrato dos anos 1970. Mas bastou olhar para a imagem para Lívia entender que estava diante de algo muito especial, a única lembrança que Carminha, discretamente, havia guardado do antigo namorado.

— Tenho certeza de que esse homem é teu pai.

— Imagina, não pode ser meu pai. Deixa ver.

Diogo arrancou a foto da mão da companheira para ver de perto.

— Caralho, é o meu pai!

Desde aquele dia, o rosto do homem no sonho era o rosto do cara de cabelo crespo que aparecia na foto. A descoberta fez reavivar o desejo de encontrá-lo, desejo este que Diogo havia sublimado em respeito à mãe. Uma sublimação com prazo de validade.

Dois ou três anos antes, Diogo havia esboçado um movimento para conhecer o pai. Ele havia entrado na faculdade, era diretor do centro acadêmico e acabara de completar 21 anos quando decidiu que tinha chegado a hora de procurar pelo Átila. Mas ele não sabia sequer o sobrenome do pai, o que tornava a busca virtualmente impossível. A saída foi procurar a tia Daize.

— Tia, tem como você encontrar o meu pai?

Surpreendida, a tia assentiu.

— Tem. Você quer?

— Quero muito.

Tia Daize se lembrou do Carlinhos. Colega de faculdade da Carminha e amigo do Átila, Carlinhos havia convivido intensamente com os dois e, após a partida do amigo, mantivera contato com ele. Provavelmente, não teria dificuldade em localizá-lo.

No mesmo dia, quando ficaram a sós, tia Daize comentou o episódio com a irmã.

— O Diogo veio me perguntar do Tilá.

— Mas vocês têm cada uma — Carminha respondeu, irritada. — Por que mexer nisso agora? Para quê? Ele nunca se interessou.

Tia Daize arriscou uma réplica, comentou que o sobrinho já era um homem, que uma hora isso haveria de acontecer, mas não teve conversa: a irmã permaneceu irredutível e ela preferiu não insistir.

— Deixa esse assunto que vai acabar sobrando pra mim — a tia sugeriu ao sobrinho.

— Minha mãe não aceita?

— Infelizmente, não.

— Tudo bem.

Quando Carminha morreu, em março de 2003, foi a própria tia Daize quem apontou um homem na missa de sétimo dia.

— Aquele é o Carlinhos. Ele era amigo da tua mãe e do teu pai. Acho que ele tem o contato dele.

— Você acha, tia?

— Acho.

— Então você fala com ele?

Terminada a missa, tia Daize foi consultar o Carlinhos.

— Você tem notícia do Tilá?

Carlinhos contou que o pai do Diogo morava na região metropolitana de Recife havia muito tempo.

— O Diogo quer conhecer o pai.

— Que bom! O Tilá também quer muito se aproximar do Diogo, mas tem receio de ser mal recebido, de provocar uma reação negativa.

— Nada! Já faz uns dois anos que o Diogo me pediu ajuda para encontrar o pai. Mas minha irmã, você sabe como ela era.

Carlinhos disse que tinha o telefone anotado em alguma agenda. Prometeu procurar, falar com o amigo e em seguida, se o Átila concordasse, passaria o contato.

O tempo passou e ele nunca mais procurou tia Daize. Ela, por sua vez, foi deixando o assunto de lado. Se Diogo voltasse a perguntar, ela telefonaria para o Carlinhos. Enquanto isso não acontecesse, melhor deixar o assunto esfriar. Tia Daize temia que o sobrinho não fosse bem recebido pelo pai, apesar da conversa animadora do Carlinhos. Uma dupla rejeição, com quase 25 anos de diferença, poderia fazer mal ao Diogo, principalmente agora, sem a Carminha por perto.

Tia Daize segurou a ansiedade por dois anos até tomar coragem de perguntar.

— O Carlinhos nunca mais deu notícias? Você quer que eu ligue para ele para cobrar o contato do teu pai?

— Ih, tia, eu já fui a Recife e conheci meu pai!

— O quê? E você nem pra me contar?

— Fui, conheci meu pai e a mulher dele. Você sabia que eu tenho dois irmãos?

A viagem aconteceu em 2005. Diogo tinha 25 anos. Embarcou num avião e foi até Janga, no município de Paulista, ao norte de Olinda, onde Átila morava com a segunda esposa, Simone, e quatro enteados. Os dois irmãos de Diogo não moravam com o pai nem estavam lá. Fábio, filho de Joana d'Arc, a primeira mulher de Átila, era oito anos mais novo que Diogo e havia se mudado com a mãe para São José do Rio Preto, no interior de São Paulo, após a separação. Iuri, o caçula, fruto de um outro relacionamento, tinha apenas 4 e vivia com a mãe numa comunidade em Olinda.

Foi um encontro envolto em grandes expectativas e uma dose cavalar de apreensão. Uma insegurança palpável, verdadeiramente tangível, de ambas as partes. O medo de decepcionar e o medo de se decepcionar.

Diogo não era ingênuo. Antes de ir, tratou de reunir mais impressões sobre o pai, juntando num caldeirão tudo o que havia ouvido sobre ele de pessoas como Carlinhos, tia Daize e Albertina. Também adicionou nesse mesmo caldeirão os ingredientes que havia obtido com a mãe, ela mesma responsável por construir uma imagem bastante árida de Tilá ao longo de duas décadas de silêncios, esquivas e decepções. Entendeu que seu pai poderia ser um homem de uns 50 anos, algo próximo do estereótipo do malandro, desorganizado com o dinheiro, mulherengo e festivo, com um pé no alcoolismo e outro no trabalho precarizado, que a vida, com seus boletos, teria transformado num cara meio oportunista, meio sobrevivente, obrigado a se equilibrar entre os "corres" e os *closes*, os "bicos" e o samba. Quando Diogo desembarcou em Recife, temia apenas que o pai não o aceitasse. Encontrou uma pessoa que até podia ter sido tudo isso e mais um pouco, mas que agora estava mais calmo, vivendo uma maturidade prosaica, quase domesticado.

Átila se surpreendeu ao ver que o menino que nunca conhecera havia se formado em Direito e assessorava um deputado estadual de São Paulo. Era muito mais do que ele havia imaginado nas vezes em que se pusera a pensar no que teria acontecido com Carminha e o garoto. Diogo era mais do que um sobrevivente: um vitorioso.

Os dois se conheceram, tomaram cerveja, passearam e combinaram de voltar a se ver.

Diogo ficou sabendo que tinha dois irmãos mais novos e quis conhecê-los. O pai lhe mostrou os retratos. Antes do fim do ano, Diogo foi com Lívia até Rio Preto. Fábio havia acabado de ingressar na faculdade de Direito e ficou entusiasmado com as histórias contadas por aquele casal tão fortemente envolvido com o movimento estudantil, um ex-diretor e uma ex-presidente do XI de Agosto. Pouco tempo depois, foi Fábio quem esteve em São Paulo e se hospedou no apartamento de Diogo e Lívia. Mais tarde, a paixão pela informática, com a qual Fábio já trabalhava, o faria trocar definitivamente o Direito pela profissão de programador.

Fábio soubera da existência de Diogo anos antes de conhecê-lo. Foi sua mãe quem lhe contou, já separada de seu pai, quando descobriu que Átila ia ter um bebê com a amante. Ou seja: Fábio, que havia crescido como filho único, ganhou dois irmãos quase ao mesmo tempo, numa tacada só, justamente quando a separação turbulenta, envolta em mágoas e ofensas, o afastou de seu pai. Acabou não convivendo com nenhum dos dois. Nem com o irmão mais velho, que havia ficado em São Paulo, nem com o irmão mais novo, que nasceria num bairro popular de Olinda. Sua mãe preferiu deixar Pernambuco e se mudar para perto da família, primeiro para o Sul de Minas Gerais e, em seguida, para Rio Preto.

Antes da mudança, a convivência doméstica nunca fora das mais pacíficas. Na lembrança de Fábio, Átila ficava dias sem aparecer em casa e, ao voltar, costumava chegar tarde da noite, alcoolizado e agressivo. Desorganizado, disperso, perdulário e boêmio, não conseguia administrar as finanças da família nem ser fiel à esposa. O próprio Fábio sugeriu diversas vezes à mãe que pedisse o divórcio, o que acabou acontecendo quando ele tinha 9 anos. Quando descobriu que Átila passava parte do tempo na casa de outra mulher, Joana abriu o jogo com o filho, dizendo que não era a primeira vez que Átila tinha uma vida paralela, uma segunda família. E contou a história do menino que nascera em São Paulo quando ela e Átila já namoravam.

A mãe de Fábio dizia que havia insistido para que ele assumisse a criança, ao que o pai respondia que fora Carminha quem optara por uma produção independente: na sua versão, ele apenas lhe fizera um favor. Agora, em visita a Rio Preto, Diogo apresentava uma versão bastante diferente, mais plausível do que aquela, que ajudaria a reforçar a imagem de Átila como uma pessoa pouco sincera.

Diogo parecia não se importar. Ou, pelo menos, se esforçava para não demonstrar ressentimentos. Depois de 25 anos, não fazia sentido ir atrás do pai para repisar as velhas mágoas de Carminha ou cultivar um sentimento de revolta, uma sede de reparação. Era como se Diogo anistiasse o pai de toda culpa pela fuga e pelo sofrimento que impusera a sua mãe, mesmo que ele não tenha jamais externado um pedido de desculpas.

Fábio, por sua vez, buscou não envenenar a relação dos dois. Se quisesse, teria tanta coisa desabonadora para contar sobre o pai que corria o risco de Diogo desistir da aproximação. Preferiu ficar na dele e deixar que pai e filho construíssem a própria história.

Diogo estava decidido a zerar o placar e o cronômetro. O que houvera no passado pouco importava. Era como se os dois times, ele e o pai, avançassem para a etapa seguinte no campeonato e todos os cartões amarelos fossem zerados. O que o movia, de verdade, era olhar para frente e saber que tipo de relação os dois poderiam construir a partir daquele ponto.

Foi o que fizeram. Depois da viagem a Pernambuco, pai e filho estabeleceram contato frequente por telefone e e-mail. Quando Diogo e Lívia se casaram, em Brasília, o filho enviou as passagens de avião para que Átila pudesse ir com Simone.

Átila seria diagnosticado com um câncer no cérebro no comecinho de 2020. Submetido a cirurgia, veio a falecer no dia 14 de maio. Diogo e Fábio voltaram a se encontrar no rápido velório, em Recife, restrito a familiares. Faltava conhecer o irmão mais novo, Iuri, e juntar os três pela primeira vez, em São Paulo, Recife ou Rio Preto. O plano precisou sofrer alterações em razão da pandemia do novo coronavírus, uma quarentena inaugurada em meados de março e que não tinha prazo para acabar, de modo que a reunião ocorreu via chamada de vídeo. O encontro presencial, no qual os três se abraçariam, tomariam cerveja, jogariam bola e conversa fora, jamais aconteceu.

15

Chefe de gabinete do chefe de gabinete

Quem observa o Palácio do Planalto de fora, através de enormes vidraças, costuma ser acometido por uma falsa sensação de tranquilidade, induzida pela amplidão dos salões e pela sobriedade dos ambientes internos, com suas rampas e colunas de talhe preciso, decorados com sofás e poltronas de Sérgio Rodrigues, enormes painéis de Athos Bulcão e Burle Marx e telas de Djanira e Di Cavalcanti. Tudo muito claro, tudo muito branco, banhado pela luz refletida no mármore onipresente. Alguém ousaria gritar, correr ou ficar nervoso numa repartição pública com cara de museu?

Em geral, essa ilusão de calmaria não resiste à experiência de trabalhar por um par de horas no terceiro andar. Ali, na parte detrás do Palácio, em sua porção oriental, à direita de quem o admira desde a Praça dos Três Poderes, funciona o gabinete do presidente da República.

Com três ambientes – uma mesa circular com treze cadeiras para reuniões com a equipe, um jogo de sofás com mesinha de centro para as recepções oficiais e a robusta escrivaninha de despacho, equipada com telefone e computador –, o gabinete é o local onde tudo acontece. Uma frase mal colocada, uma desavença ou uma gargalhada, um aperto de mão ou uma canetada, cada gesto pode provocar alterações profundas nos rumos do país. Às vezes, do continente. Cataclismos, hecatombes e grandes soluções brotam daquela sala, com vista para um bosque e para o Lago Paranoá, onde líderes e chefes de Estado se sentam para conversar com o presidente da República e onde a vida costuma girar a 8 mil rotações por minuto.

Rodeado pelos assessores mais próximos e submetido a uma agenda com mais compromissos do que comporta o tempo regulamentar de um dia de trabalho – coisa que nenhum decreto foi capaz de revogar –, o então presidente Lula, em seus dois primeiros mandatos, não encontrou alternativa a não ser acelerar o ritmo, para si e para quem integrasse o governo. Quando não estava em missão internacional ou percorrendo o país, Lula pegava no batente por volta das 8 horas da manhã e permanecia no gabinete até as 8 horas da noite. Muitas vezes, não saía sequer para almoçar: pedia que servissem a refeição ali mesmo, de preferência a rabada ou outro quitute preparado no restaurante da tia Zélia, na Vila Planalto, a 1,5 quilômetro dali, que algum assessor se dispunha a buscar. À noite, dependendo da pauta da última reunião e das emergências que surgissem ao longo da tarde, permanecia a postos até as 22 horas, quando as luzes nos outros andares já estavam apagadas.

O senso comum costuma identificar o gabinete presidencial como o vórtice do furacão, o hipocentro de toda a energia acumulada no terceiro andar. Mas, no final dos anos 2000, havia uma outra sala, contígua àquela, onde o ritmo de trabalho costumava ser ainda mais acelerado. Era a chefia de gabinete, conforme indicava a placa fixada no corredor, ao lado da porta. Se o gabinete presidencial costumava operar a 8 mil rotações por minuto, o conta-giros na chefia de gabinete podia ultrapassar facilmente a marca das 13 mil rotações. O piloto dessa máquina era Gilberto Carvalho.

Paranaense e ex-seminarista, bacharel em Filosofia e amigo de longuíssima data do presidente, petista histórico com experiência na gestão pública, sobretudo na prefeitura de Santo André (SP), Gil, como preferiam os colegas, cuidava da agenda pública de Lula, recepcionava representantes da sociedade civil com a missão de buscar atender suas demandas e fazia articulações entre lideranças do terceiro setor e as diferentes instâncias do Poder Executivo.

Embora houvesse a Secretaria-Geral da Presidência, parte significativa desse trabalho "sobrava" para a chefia de gabinete. Afinal, dali vinha a última palavra sobre os encontros que o presidente faria e os quais ele preferia dispensar. Eram tantas demandas e solicitações, e tantas agendas importantes propostas por iniciativa do próprio gabinete, que, no início do segundo mandato, Gilberto Carvalho precisou reformular a estrutura e as prerrogativas dos membros da equipe. Confiou a outro assessor a tarefa de cuidar da agenda do presidente para se dedicar com mais afinco às atribuições políticas, ou seja, às costuras que o presidente gostaria ou precisaria fazer com representantes da sociedade civil e com membros dos três poderes.

Para esta função, Gil sentiu a necessidade de contratar um assessor. No começo de 2008, entrevistou um jovem chamado Diogo de Sant'Ana, que havia dois anos assessorava a liderança do PT no Senado. Gil se inteirou da atuação dele nas CPIs e sabia que Diogo integrava um grupo de jovens egressos da São Francisco, todos na casa dos 25 a 30 anos, que vinham se destacando na assessoria jurídica e em outros cargos importantes, tanto no Legislativo quanto no Executivo.

Dono de uma fala muito simples e arguta, que transmitia sinceridade e serenidade, marcada pela disposição para o diálogo e para a concertação com o povo, Diogo pareceu talhado para a tarefa que Gil tinha em mente: fazer do novo assessor um elo entre o povo e o poder, como uma sonda a detectar as demandas que chegavam ao palácio. Diogo se informava sobre os cidadãos e as entidades que pleiteavam audiência no palácio, produzia pareceres sobre as demandas – uma tarefa indispensável para filtrar o que fosse mais importante – e assumiu a responsabilidade de encaminhá-las corretamente, atividade que em muito se assemelhava à que ele havia desempenhado na equipe de Carlos Zarattini, na Prefeitura de São Paulo, e de Simão Pedro, na Assembleia Legislativa paulista.

Entre 2008 e 2010, Diogo foi um dos responsáveis por alimentar a fornalha do governo federal para que o motor jamais perdesse o torque e a velocidade. Após os primeiros meses na assessoria, Diogo se tornou o número 2 na chefia de gabinete. Na prática, virou o chefe de gabinete do chefe de gabinete, terminologia que rendia muitas piadas, além de fazê-lo trabalhar pelo menos doze horas por dia.

Menos de vinte passos separavam a sala de Diogo do gabinete presidencial. Se quisesse, poderia ir até lá e bater na porta do presidente da República em pessoa. O menino do Socorro, o filho da Carminha, às vezes se punha a olhar pela janela e a pensar na jornada percorrida por ele até ali. Nesses momentos, achava tudo muito louco, tudo muito forte. Depois voltava para sua mesa, porque havia muito trabalho a ser feito.

Por mérito da dupla formada por Gil e Diogo, nunca as portas do Palácio estiveram tão escancaradas para o povo, em especial para as minorias, os vulneráveis, os que nunca haviam tido voz nem vez. Tudo isso fazia Diogo vibrar e o impelia a imprimir 13 mil, 15 mil, 20 mil rotações por minuto à gestão.

Tinha sido assim, o mesmo ritmo e a mesma energia, desde sua chegada ao Distrito Federal, em fevereiro de 2006, para trabalhar no Senado. Na ocasião, às vésperas de completar 27 anos, foi com frio na barriga e muita determinação que Diogo trocou São Paulo por Brasília, a ALESP pelo Congresso Nacional, lançando-se, mais uma vez, num caminho que havia sido inaugurado, um ano antes, pelo amigo Vini.

De volta da Sorbonne, no final de 2004, Vinícius não retornou ao mandato do Simão Pedro, para o qual havia indicado Diogo, nem foi incorporado ao gabinete do Paulo Teixeira na Câmara Municipal. Seu olhar já havia se deslocado para Brasília. Foi Marcos Barreto, ex-chefe de gabinete da Aldaíza Sposati na Câmara Municipal de São Paulo e do Paulo Teixeira na SEHAB, quem o indicou para o senador Aloizio Mercadante, que estava empenhado em reforçar a assessoria jurídica no Senado, tanto da liderança do governo, exercida por ele, quanto da liderança do PT, exercida pela senadora Ideli Salvatti. Paulo Teixeira endossou a indicação. Consultado, Simão Pedro não se opôs.

Desde o início do governo, Mercadante mantinha a estratégia de convidar egressos do movimento estudantil para integrar suas equipes. Considerava a atividade nos centros acadêmicos e diretórios estudantis uma boa escola para a vida política: uma vivência capaz de ensinar muito sobre democracia, sobre coalizão, sobre a importância da opinião pública e, principalmente, sobre o sentido de cidadania que deveria pautar as grandes decisões. Na segunda metade dos anos 1970, ele mesmo havia militado na Refazendo, um dos principais grupos do movimento estudantil na USP - adversário da Libelu e da Caminhando -, e presidira a associação atlética da Faculdade de Economia e Administração (FEA), ajudando a refundar o DCE-Livre em 1976. A instância máxima dos alunos daquela universidade fora extinta em 1964, quando a Lei Suplicy vedou às entidades de representação estudantil "qualquer ação, manifestação ou propaganda de caráter político-partidário, bem como incitar, promover ou apoiar ausências coletivas aos trabalhos escolares" (ou seja, greves e paralisações). Agora, na liderança do governo Lula no Senado, Mercadante se cercara de economistas formados pela FEA com passagem pela direção do Centro Acadêmico Visconde de Cairu e foi recrutar assessores jurídicos entre os recém-formados da São Francisco que haviam militado no XI de Agosto.

O primeiro convidado por ele foi Pedro Abramovay. Presidente do XI em 2001, eleito pelo Partido Acadêmico Autônomo (PAA), Pedro mudou-se para Brasília nos primeiros dias de governo Lula e ficou no Senado até o final de 2004, quando migrou para o Ministério da Justiça. Para substituí-lo na liderança do governo, indicou o colega de PAA Ivo Corrêa, que deixou o gabinete da prefeita Marta Suplicy, em São Paulo, para assumir a tarefa. Vinícius chegou a Brasília na mesma época que Ivo, para atuar na liderança do PT. Adversários no movimento estudantil, os dois passaram a atuar lado a lado, agora no mesmo time, defendendo o Poder Executivo no Poder Legislativo.

Juntos, Ivo e Vinícius passaram maus bocados em meados de 2005. Um dos principais desafios da dupla era tourear a CPI dos Bingos, que serviu de fachada para que a oposição emplacasse uma série de pedidos de investigação relacionados a temas que nada tinham a ver com Bingos, como a morte de Celso Daniel e a quebra do sigilo bancário do então ministro da Fazenda Antonio Palocci. Essa CPI acabou desaguando no escândalo do Mensalão, já no segundo semestre.

De longe, Diogo acompanhava todas as notícias. Sempre que algo excepcional acontecia, como a fagulha de um novo escândalo, Diogo telefonava para o amigo para saber detalhes. Exultava com cada lance como quem escuta o *spoiler* de um *thriller* de suspense, desses de tirar o fôlego. No fundo, embora não lhe faltassem desafios no Legislativo paulista, com toda a carga de adrenalina, de vitórias e derrotas que a política estadual lhe garantia, Diogo queria estar lá, em Brasília, correndo pelos corredores, dialogando, arrolando testemunhas e elaborando defesas.

No final de 2005, tanto Ivo quanto Vinícius prestaram concurso para a carreira de gestor público no Poder Executivo e foram aprovados. Diante do anúncio de que estavam de partida, inclinados em trocar o Legislativo por algum ministério, Mercadante não hesitou em pedir a cada um que indicasse o próprio sucessor. Ivo sugeriu Michael Mohallem, graduado em Direito pela PUC-SP e ex-diretor do Centro Acadêmico 22 de Agosto. Vinícius sugeriu Diogo.

Imerso na rotina agitada do Senado desde o primeiro dia de trabalho, em fevereiro de 2006, Diogo viu seu engajamento e seu senso de urgência elevados à enésima potência. Inspirava política e expirava estratégia, da hora que acordava à hora que ia dormir. Pegou uma sucessão de CPIs, igualmente cavadas pela oposição com a finalidade de manchar a imagem do governo a fim de impedir a reeleição de Lula em outubro daquele ano, e transferiu para o Senado a mesma coragem e a mesma disposição que havia demonstrado na São Francisco, quando assumiu o desafio de defender a gestão do Ruptura da acusação de improbidade administrativa. Nem mesmo a CPI dos Bingos, as artimanhas da oposição e o noticiário (quase sempre tendencioso) produzido pelas principais emissoras de TV o faziam desanimar.

Passados três anos desde que recebera o diploma, Diogo ainda não advogava, o que o frustrava com relativa frequência, mas sentia orgulho por estar contribuindo com o governo que havia ajudado a eleger. Esse sentido de missão era o combustível que o movia.

No primeiro ano em Brasília, Diogo morou por alguns meses no Bay Park Hotel, à beira do lago, próximo ao Iate Clube, onde o amigo Renato Bacchi, colega do Equipe, passou uma temporada com o time de vôlei com o qual trabalhava como preparador físico. O hotel havia fechado um valor com desconto para hospedar todo o time e Diogo conseguiu que o mesmo abatimento fosse aplicado ao seu contrato. Em seguida, dividira apartamento com amigos – primeiro, com Vinícius e Carol; depois, com Ademir –, todos ex-Ruptura. Passava tanto tempo enfurnado no Senado, sem ver a luz do dia, que quase não parava em casa. Lívia permaneceu em São Paulo nesse período, cumprindo os últimos créditos para concluir a graduação em Direito e estudando para tentar entrar no Instituto Rio Branco em seguida.

Brincar de casinha à distância exige criatividade, cuidados especiais e muita resiliência. Se, por um lado, o fato de estar solitário na capital o impingia a trabalhar cada vez mais, a fazer política como se continuasse em campanha eleitoral, por outro Diogo não via a hora de voltar a morar com a namorada, desta vez em Brasília. Às vésperas do Natal de 2006, Lívia tomou um avião e se instalou de mala e cuia na casa do Ademir, onde Diogo estava acampado. Em 2008, ele trocaria o Senado pelo Palácio do Planalto e ela se matricularia no Rio Branco. Algum tempo depois, Ademir se mudou e o apartamento que dividiam, na superquadra 403 Norte, ficou com o casal: o primeiro endereço oficial de Diogo e Lívia naquela cidade.

No governo, Diogo foi o cara certo no lugar certo. Já nas primeiras semanas, Gilberto Carvalho compartilhou com ele a instrução que havia recebido do presidente:

— Quem se aproximar do Planalto jamais deve ser repelido. Deve ser sempre acolhido, tanto os que vierem sozinhos, de forma independente, quanto os que vierem em delegações ou em nome de alguma instituição.

Como os pedidos de audiência eram muito volumosos, Diogo logo assumiu a tarefa de fazer a triagem. Recepcionava as demandas populares e ajudava a definir quem seria recebido pelo presidente e quem poderia ser encaminhado a algum ministério ou assessor – jamais com indiferença, mas cuidando para que essas pessoas fossem de fato atendidas e tivessem êxito em sua procura.

Em pouco tempo, Diogo começou a responder sozinho por essa definição. E dava seus pulos para que ninguém deixasse a esplanada sem ser atendido. Gil dava total autonomia e se entusiasmava com a capacidade que Diogo tinha de fazer as costuras certas e trazer soluções. De tanto telefonar para dezenas de gabinetes com pedidos e encaminhamentos, nos 32 ministérios e também nos conselhos, nas secretarias e autarquias, em pouco mais de um ano Diogo se tornou um servidor conhecido e admirado.

Alguns dos momentos mais significativos do segundo governo Lula aconteceram com a participação e o protagonismo de Diogo. Pela primeira vez na história, o Palácio do Planalto foi visitado por catadores de material reciclável, por pessoas com hanseníase e por mulheres escalpeladas, entre outros grupos marginalizados. Cada uma dessas pessoas pôde mostrar sua condição e contar sua história ao presidente da República. Lula se comoveu com os relatos, quase sempre marcados pela dor, pela sobrevivência e pelo desamparo do Estado. Conforme a orientação dada, nenhum desses grupos foi abandonado nem esquecido.

Em maio de 2007, por exemplo, Lula recebeu um grupo de hansenianos e fez o que nenhum presidente havia feito: chegou perto, cumprimentou, abraçou, tratou sem distinção nem preconceito. Normalmente, vítimas de hanseníase amargam um histórico de décadas de discriminação e violência de Estado, incluindo o isolamento forçado em fazendas e colônias. Na ocasião da visita, o presidente assinou uma medida provisória autorizando a criação de uma pensão vitalícia para os hansenianos e se emocionou ao ouvir depoimentos. "Ao pegar as fotos do nosso encontro, o que havia em comum em todas as máquinas era a foto da xícara de porcelana com o brasão do nosso país; antes, sempre éramos recebidos com copo descartável", lembraria Artur Custodio, Coordenador Nacional do Movimento de Reintegração de Pessoas Atingidas pela Hanseníase (MORHAN), cinco anos depois.

No ano seguinte, Lula recebeu no Planalto uma delegação de mulheres vítimas de escalpelamento, acidente comum em cidades ribeirinhas, principalmente na região amazônica, em que os cabelos se enroscam nos motores dos barcos, fazendo com que o couro cabeludo seja arrancado, no todo ou em parte. Não apenas recebeu as mulheres como pediu empenho de todos os integrantes do governo na solução do problema. Ainda em 2008, nove procedimentos médicos específicos foram incorporados à tabela do SUS, incluindo cirurgia reparadora e atendimento psicológico às vítimas. Políticas públicas foram criadas para capacitar médicos para a realização dos procedimentos e para a atenção com as pacientes. Construíram-se casas de apoio, nas quais as mulheres podem se abrigar no pré-cirúrgico e no período de recuperação após as cirurgias. No ano seguinte, foi sancionada a lei que obriga a instalação de cobertura nos motores dos barcos ribeirinhos e foi dada a largada para o início do pagamento de indenizações a essas mulheres, primeiramente nos estados do Pará e do Amapá. Em 2010, Lula instituiria o Dia Nacional de Combate e Prevenção ao Escalpelamento, comemorado em 28 de agosto.

Empenho semelhante pôde ser verificado em relação aos catadores de material reciclável. Desde 2003, o presidente da República mantinha o hábito de participar, todos os anos, de um encontro de Natal com os catadores, o primeiro deles numa cooperativa na Baixada do Glicério, em São Paulo. A cada edição, Lula fazia questão de anunciar uma novidade: uma nova lei, uma nova política, um novo incentivo. Em outubro de 2006, quando Diogo ainda trabalhava no Senado, foram os catadores que viajaram até Brasília para visitar o presidente da República. Foram recebidos no Palácio do Planalto, algo inédito e inesquecível para pessoas acostumadas a ser enxotadas de diferentes espaços.

Na ocasião, foi divulgada a edição de um decreto federal que instituía a separação dos resíduos recicláveis pelos órgãos e entidades da administração pública federal, bem como sua destinação às associações e cooperativas de catadores de materiais recicláveis. Foi uma das cerimônias mais emocionantes do primeiro mandato. Havia quase 500 catadores no palácio. Pela primeira vez, a equipe de recepção e segurança liberou a entrada de cidadãos desprovidos de documentos: a maioria simplesmente não os tinha. Lula se emocionou ao falar da simbologia de receber um morador de rua para discursar na tribuna daquele local, sede do Poder Executivo. Foram dois que falaram em nome dos presentes: Luiz Henrique da Silva, do Movimento Nacional dos Catadores de Materiais Recicláveis (MNCR), e Sebastião Nicomedes de Oliveira, do Movimento Nacional de Luta em Defesa dos Direitos da População de Rua. Lula também assinou uma linha de financiamento do BNDES para catadores de material reciclado e criou um grupo de trabalho interdisciplinar para estudar políticas públicas para esses dois segmentos.

Já em 2007, o governo federal incluiu na Política Nacional de Saneamento uma mudança na lei de licitações para permitir que as prefeituras pudessem contratar cooperativas e associações de catadores sem abrir licitação, uma costura que teve um empurrão de Diogo no Legislativo. No Natal daquele ano, finalmente, Lula pediu a prefeitos de todo o Brasil que contratassem organizações de catadores para realizar a coleta seletiva nos municípios, especialmente no Carnaval.

No último ano do segundo mandato, seria instituída a Política Nacional de Resíduos Sólidos, que tornou compulsória a logística reversa, ou seja, a exigência de restituição às fábricas de embalagens e outros resíduos produzidos, com o objetivo de incentivar seu reaproveitamento. A medida, de caráter ambiental, reverteu na criação de postos de trabalho para os catadores, sendo festejada pela categoria. Finalmente, na antevéspera do Natal de 2010, um decreto presidencial instituiu o Programa Pró-Catador, que criou um comitê interministerial para lidar com as demandas da categoria e listou uma série de ações para potencializar os avanços econômicos das empresas e cooperativas de reciclagem.

Diogo se envolveu com essa pauta mais do que com qualquer outra. Naquele período e nos anos seguintes, dedicaria parte considerável do seu tempo e do seu capital político à tarefa de conhecer cooperativas e ajudar na regulação do setor. Sua obstinação foi fundamental para desburocratizar uma série de coisas e tirar projetos do papel. Entre 2009 e 2010, Diogo viajou mais de dez vezes ao Rio de Janeiro até conseguir viabilizar as duas primeiras fases do Cataforte, um programa nacional que unia crédito bancário para catadores e catadoras, por meio do BNDES, e ações de qualificação profissional, assistência técnica, incentivo à formação de redes de comercialização e aquisição de caminhões. Em cinco anos, o Cataforte viabilizaria investimentos de mais de 200 milhões de reais, fortalecendo 35 mil catadoras e catadores organizados em 36 redes de cooperativas e associações solidárias do Brasil. Não satisfeito, Diogo voltaria à carga até obter apoio do BNDES para outros dois programas semelhantes, um com foco nos trabalhadores rurais e outro em agroecologia.

Diogo tinha pressa. Ele sabia que a sua demora era o desespero do trabalhador, que a sua hesitação representava uma ou mais crianças com fome. Enquanto o decreto não viesse, a lei não fosse sancionada, o programa não fosse criado e os recursos não chegassem, haveria um trabalhador sem ter onde plantar, uma família sem ter o que comer, uma paciente à espera de uma cirurgia. O senso de urgência virou sua marca.

— Cada dia a mais no governo é um dia a menos para a gente resolver os graves problemas da população — ele repetia para si mesmo e para quem trabalhasse com ele.

Havia um único departamento em que a pressa parecia não existir: a vida amorosa.

Se tudo era para ontem na atividade política e na gestão pública, os momentos com Lívia ele preferia saborear com calma, sem muita preocupação em cumprir etapas e liturgias, o que parentes e amigos podiam interpretar como procrastinação. É claro que os dois faziam planos para o futuro, uma porção deles, mas Diogo e Lívia não tinham pressa. Quando o assunto era família, vigorava o axioma do filósofo Zeca Pagodinho: "deixa a vida me levar".

No segundo semestre de 2008, Diogo e Lívia moravam juntos e estavam exatamente onde queriam estar: ele trabalhando na Presidência da República e ela cursando o Instituto Rio Branco. "E os filhos?", havia quem perguntasse.

Lívia e Diogo sorriam, como quase todo casal interrogado com a mesma questão. Eles apreciavam a ideia e faziam planos, mas para um futuro ainda distante. De vez em quando, tocavam no assunto, mas apenas para confirmar a opção de adiar a cegonha por mais algum tempo.

— Deixa para quando eu fizer 30, mico — ela dizia.

— É cedo, preta. Melhor aos 35 — ele respondia.

16

Agora somos três

Diário de pai

28/11 – A descoberta

Não sei se você é menino ou menina. Não sei bem por que estou escrevendo essas palavras, acho que tenho uma vontade grande de me comunicar com você desde já.

Fiquei sabendo ontem da sua existência. Foi um comunicado inusitado.

Desde a manhã a mamãe estava diferente. Me mandou mensagens seguidas pelo celular durante o dia dizendo: "Volte ainda hoje para Brasília".

Não entendi muito bem. Eu e a mamãe não somos um casal muito pegajoso, e são raras as mensagens de celular com pedidos explícitos. Fiquei preocupado e, quando falei com ela por volta das 20h, percebi que havia algo de diferente.

O diálogo foi mais ou menos assim:

— Preta, o que está acontecendo? Você está diferente, aconteceu alguma coisa?

— Não, depois eu falo com você. Me ligue quando você chegar ao Mario para conversarmos com calma.

— Não, quero saber agora. Eu posso falar com você agora, me diga o que foi.

— Não, é melhor você chegar ao Mario!

— Me diga o que foi. Não embaça, pretinha!

— Acho que tem um bebê na minha barriga. Fui ao médico hoje, fiz alguns exames e acho que estou grávida.

— Quê!?

— Foi assim... Faz uns dias que estou passando mal e não sabia o que era. Fiz um teste de farmácia e deu positivo. Fiquei desesperada. Fiz mais um milhão de testes e todos deram positivo. Não queria falar antes de ter certeza. Hoje fui ao médico e vi nosso feijãozinho. Não há mais dúvida. Fiz um exame em que o normal é 50 e estou com 52.000.

Depois disso, a mamãe leu os exames e comprovou cientificamente que você existia.

— Ainda tinha uma dúvida, mas a médica falou: "Querida, você está grávida!"

— E o bebê está bem? Como ele é? O coração bate forte?

— Não sei se o coração bate forte. Tem que captar com um microfone, mas deu para ver nosso feijãozinho.

— Que coisa maravilhosa, preta!!!

— Eu não sabia qual seria a sua reação. Achei que tinha ficado menstruada, mas era outra coisa. Agora eu não posso fumar e nem tomar álcool.

— Se você fumar um cigarro eu te mato! Vai casar grávida!! Meus parentes vão falar: "olha, ela está grávida!!!"

Risos de parte a parte. Depois disso, houve uma conversa de mais ou menos 40 minutos, com uma interrupção por causa da falta de créditos no meu celular.

As circunstâncias, os personagens e as referências você vai entender com o tempo. Você vai saber que o Mario é um grande amigo, e foi o primeiro a saber. Vai entender o que eu estava fazendo em São Paulo, mais especificamente na Faculdade de História, onde a vovó estudou. Vai entender, pouco a pouco, por que às vezes falta crédito no meu celular e a mamãe fica brava. E tomara que você entenda que agora somos três: eu, você e a mamãe. Temos que cuidar um do outro.

Esse mundo que estamos vivendo não está fácil.

As anotações feitas por Diogo naquela noite resumiam a euforia provocada pela melhor notícia do mundo. Ele e Lívia ainda não tinham 35 anos, conforme o planejado, tampouco 30, o que fez aumentar a sensação de ansiedade diante da guinada que aquele feijãozinho representaria em suas vidas. Uma ansiedade boa, festiva, temperada com a insegurança e a curiosidade que costumam brindar os papais e as mamães de primeira viagem.

Era final de novembro de 2008 e Diogo havia viajado para São Paulo para cumprir os créditos do mestrado. Os bate e volta às sextas-feiras eram frequentes desde o ano anterior, quando ele conseguira emplacar um projeto de pesquisa no programa de pós-graduação do Departamento de Direito Econômico e Financeiro da São Francisco, sob a orientação do então ministro do STF Eros Grau. Fazia tempo que ele se afligia por ter se afastado da produção acadêmica ao final da graduação, enquanto alguns de seus amigos já estavam terminando o doutorado. Escolheu trabalhar com temas tão contemporâneos e urgentes quanto a segurança alimentar e a soberania nacional, voltando-se para o estudo de um setor específico, o de fertilizantes, a partir do paradigma do direito econômico.

Partindo da premissa de que o Brasil, no final da primeira década do século XXI, tornou-se reconhecido internacionalmente por suas políticas de segurança alimentar e reunia condições para se tornar o maior exportador de alimentos do mundo, Diogo observou que a indústria de fertilizantes representava o principal gargalo para a produção agrícola nacional e, por extensão, a soberania alimentar. Naquele momento, o Brasil caminhava para garantir a segurança alimentar, mas não a soberania alimentar, expressão que, conforme Diogo formularia pouco depois, num trecho da tese, "envolve a capacidade de um Estado Nacional de garantir a segurança alimentar". Ainda segundo ele, "quando se faz referência à palavra soberania, não se faz menção apenas ao acesso (das pessoas) aos alimentos, mas também às políticas que serão construídas para garanti-lo".

De acordo com a teoria do ponto de estrangulamento, principal aliada teórica de Diogo ao definir seu problema de pesquisa e suas premissas, a capacidade máxima de produção de um sistema é limitada pela capacidade máxima de produção do recurso restritivo, ou seja, aquele mais escasso. Numa alegoria bastante simples: mesmo que eu tenha farinha de trigo suficiente para preparar oito bolos, se houver ovos apenas para duas receitas, o máximo de bolos que poderei preparar são dois. No Brasil de 2008, faltava fertilizante, mercado majoritariamente dependente da indústria estrangeira, responsável por 85% do total utilizado no país. O público leigo tomaria conhecimento desse gargalo em 2022, ao acompanhar os efeitos econômicos da guerra da Rússia contra a Ucrânia, uma vez que 22% dos fertilizantes empregados no país vinham da Rússia. A constatação desse gargalo levou Diogo a testar a hipótese de que iniciativas do direito econômico poderiam contribuir para superá-lo, seja por meio de uma reforma da legislação mineral, seja por meio da reorganização do ambiente institucional da indústria (sobretudo com a elaboração de um novo Plano Nacional de Fertilizantes) ou da adoção de instrumentos para estimular investimentos de capital de risco no desenvolvimento de novas tecnologias, necessariamente sustentáveis, em substituição aos adubos químicos.

Diogo trabalharia com afinco na tese, conciliando com o expediente no governo, obteria as recomendações necessárias para transformar o mestrado em um Doutorado Direto (DD), já no exame de qualificação, em 2009, e viria a fazer uma bolsa-sanduíche – Programa Institucional de Doutorado-Sanduíche no Exterior (PDSE) – na Universidade de Columbia, em Nova York, em 2010, diplomando-se doutor em 2012. Mas, naquele momento, saindo da aula no departamento de História da USP para pernoitar na casa do amigo Mario Schapiro, nada daquilo importava, nem o colapso das importações descrito por Maria da Conceição Tavares, nem os desafios da globalização resumidos por Joseph Stiglitz, e menos ainda a geografia e a geopolítica da fome no discurso pioneiro de Josué de Castro. Tampouco o desenvolvimento com soberania segundo Gilberto Bercovici e os fundamentos da legislação mineral a partir de Yara Kulaif. Diogo não queria saber de nada disso. Às favas com a metodologia e o quadro teórico de referência. Diogo só queria saber do feijãozinho.

Caramba, ele ia ser pai! Como ele queria que Carminha estivesse aqui. Tinha de contar a novidade para o pai. O velho Átila, que até recentemente nem conhecia o filho mais velho, ia ser avô, quem diria.

Imagens desfilavam em seu pensamento. Primeiro, a Lívia de barrigão. Em seguida, o acalanto, o berço, o choro à noite. Será que ele saberia lidar com os pequenos? E o tempo, então? Ele queria ser um pai presente, mas e o trabalho? E o doutorado? E a grana?

Agora, ele precisava avisar o pai e contar pro Gil. Cara, o Gil ia pirar. E contar pro Vini e pra Carol. E pro Ademir.

Putz, será que ele ia conseguir manter o futebol? Claro que sim, imagina. Não existe vida sem futebol. E as noites no Beirute, as tardes no Calaf, seus bares preferidos em Brasília, onde Diogo juntava política, cerveja, samba e pagode?

Em meio às dúvidas e à alegria daquela gravidez, Diogo e Lívia davam altas risadas. O primeiro motivo para as gargalhadas foi lembrar exatamente da noite em que o feijãozinho foi concebido. Eles tinham acabado de sair da festa de casamento dos amigos José Guerra e Suzana, uma cerimônia linda, com uma decoração incrível, e, como ainda era cedo, decidiram esticar mais um pouco. Com o mesmo traje social usado na festa, os dois foram parar no Café Cancun, uma balada *kitsch*, meio cafona, que existia no segundo piso do Shopping Liberty Mall. O mais incrível é que, naquela noite, não apenas os dois colocaram em prática o ancestral ofício da reprodução humana como, fascinados com a alegria do casamento, decidiram se casar também. Uma coisa espontânea, sem planejamento, no afã do momento.

Os dois estavam felizes, ela havia acabado de ingressar no Instituto Rio Branco, ele era o chefe de gabinete do chefe de gabinete do presidente da República, o mestrado havia se transformado em doutorado direto. Quando os testes indicaram a presença do feijãozinho, Lívia e Diogo já haviam reservado os espaços e disparado os e-mails com os convites para a festa de casamento. Naquele mesmo fim de semana, Diogo voltaria para Brasília e os dois reuniriam uma dezena de amigos no domingo para o que seria o almoço de noivado. Agora eles teriam uma novidade para divulgar em primeira mão: Lívia iria casar grávida!

Na casa do Mario, na noite de sexta para sábado, foi a namorada do amigo quem alertou Diogo: se ia noivar, deveria presentear a noiva com um anel.

— É o mínimo! — ela insistiu.

Diogo franziu a sobrancelha, contou que ele e a namorada não ligavam para essas coisas, que a Lívia não fazia nenhuma questão de um anel de noivado, imagine, e que o almoço seria uma celebração entre amigos sem essas liturgias. Ouviu que não era assim, que a Lívia poderia até não fazer questão, mas que iria adorar o presente, e que Diogo, se fosse ela, correria para comprar um anel antes de embarcar ou assim que pousasse no Planalto Central. Resultado: Lívia ganhou um anel de noivado no domingo, celebrou com a turma e acabou contando sobre o feijãozinho.

Logo no terceiro mês, Lívia teve um sangramento, correu para o hospital e acabou obrigada a ficar em repouso pelas semanas seguintes. Ao voltar para casa, os dois olharam angustiados para os degraus. O apartamento em que moravam, na 403 Norte, ficava no terceiro andar de um prédio sem elevador. Preocupado com a quarentena compulsória prescrita pela equipe médica e com a exigência de repouso completo, Diogo rodou a cidade até encontrar outro apartamento. Em poucos dias, os dois trocaram o imóvel da 403 Norte, que haviam "herdado" do Ademir um ano antes, por um apartamento na 108 Sul, agora num prédio com elevador.

No dia do casamento, 11 de abril de 2009, Lívia exibia uma barriga de seis meses, um pouco mais proeminente que uma barriguinha de chope. Diogo, ele sim com uma barriga de chope, um pouco mais discreta do que a de sua noiva, inventou de organizar uma partida de futebol como "despedida de solteiro" e oficializou a festança em etapas, um ritual de três dias, conforme a programação enviada por e-mail para toda a lista de convidados, um mês e meio antes da data:

09/04 (quinta-feira), 21h: Recepção (dos bravos que já tiverem chegado) num dos inúmeros bares da capital federal.

10/04, 15h: Futebol: Casados x Solteiros.

[Questão de gênero: embora ainda mais enxuta que o Ronaldo, a noiva está provisoriamente impedida de mostrar seu futebol arte. Mas as convidadas com fome de bola podem e devem trazer suas chuteiras!]

11/04, 20h: Cerimônia de casamento e festa no Clube das Nações.

Mais dia menos dia, vai chegar o convite impresso na casa de quem já passou o endereço (se não passou, passe!).

Outro e-mail, especificamente sobre a pelada, foi enviado em seguida:

Boleiros amigos,

Segue em anexo a convocação oficial para o jogo Casados x Solteiros que antecede o casamento. O jogo vai ser em um clube de Brasília chamado ASES-DF, ao lado do Pier 21 e atrás da Galeteria Gaúcha, às 15h do dia 10/04.

Foi estabelecido um critério para separar os times e equilibrar o jogo.

Casado: Todo aquele que se casou na igreja ou no civil, que usa aliança ou que beija de manhã a mesma moça há mais de dois anos. Não vale a moça beijada na balada, ainda que seja ficante de longo prazo.

Solteiro: Todos aqueles que não se enquadram na definição de casados, ou seja, os guerreiros e os que namoram há menos de dois anos e não usam aliança. Não vale querer jogar no casado só para fazer uma moral. Se não está no critério, não discuta!

Alguns de vocês ainda não confirmaram a presença no casamento. De alguma forma, a convocação para o jogo é um estímulo para que vocês confirmem.

O jogo não é sério, mas também não será uma várzea. O campo é oficial (90m x 65m), o melhor é jogar com chuteira de trava (society também dá, mas o campo é bem gramado), vai ter juiz e bandeirinha e será 45min por 45min, com acréscimos. Como pouquíssimos de vocês ainda se encontram em atividade (a maioria faz parte do grupo de risco de contusões), o número de atletas convocados é mais do que adequado.

Sobre o uniforme: O time dos casados jogará inteiro de branco e os solteiros jogarão de vermelho (camisa, calção e meião). Tenho certeza que alguém vai pensar: posso jogar com a camisa branca do Santos, do Corinthians ou do Botafogo? A resposta é: pode! Os solteiros pensarão: posso jogar com o uniforme número 2 do São Paulo? A resposta é: óbvio que não! Não quero bambi solteiro correndo atrás de mim na véspera do meu casamento. A do Flamengo, a do Inter, a da Seleção da Espanha, pode.

Como não vejo alguns de vocês há tempos, posso ter cometido alguns erros na escalação, mas acho que no geral é isso.

PS: Namoradas/esposas que estão recebendo este e-mail transmitam para os seus respectivos.

Amanhã ou depois mandaremos um e-mail com toda a programação do casório.

Abraço,

Diogo

Foi um sucesso. Passados mais de dez anos, ainda havia quem se lembrasse da partida ou do casório e comentasse com eles sobre a irreverência daqueles dias. Por sorte, a menção politicamente incorreta aos jogadores são paulinos caiu no esquecimento.

Na reta final da gestação, Lívia seguiu todas as recomendações médicas. Cuidou da alimentação, baniu as bebidas alcoólicas, fez todas as consultas pré-natais, todos os exames de ultrassom – era uma menina! –, escolheu o obstetra que a acompanharia na reta final e expressou sua preferência pelo parto normal. Na hora H, os dois entraram no hospital Santa Lúcia: ele, pálido de tanto nervosismo; ela, com sete centímetros de dilatação no colo do útero. Logo chegou o pai da Lívia, que viajou de São Paulo para presenciar o nascimento da neta. Diogo avisou a um monte de gente que a esposa havia entrado em trabalho de parto. Era a Gabriela que estava chegando.

Enquanto isso, algumas coisas começavam a fugir do *script* na maternidade. O colo do útero demorou para apagar, etapa em que o esgarçamento do órgão se completa com o desaparecimento do tecido entre o útero e a vagina, anunciando o início do parto. Em seguida, foi identificada uma bossa, um pequeno inchaço na cabeça do feto, que dificulta a passagem do bebê. Na sequência, foi aplicada uma anestesia, o que fez com que Lívia perdesse não apenas a sensibilidade, mas também o controle sobre os músculos do corpo e a capacidade de mudar de posição. Deitada de barriga para cima, sem conseguir ajudar nas contrações, Lívia precisou ser conduzida a uma cesariana.

O que veio em seguida transformou o dia 16 de julho de 2009 num dos mais desesperadores da vida de Diogo. E, em seguida, no mais maravilhoso deles.

Quando finalmente foi feita a cesariana, a menina havia passado por sofrimento fetal e apresentava um quadro agudo de hipóxia, caracterizada pela quantidade insuficiente de oxigênio no sistema circulatório. Ao ser retirado, o bebê não se movia e não respirava. Com a pele azulada, um quadro clínico conhecido como cianose neonatal, efeito colateral da falta de oxigênio nos tecidos, a menina precisou ser intubada. Diogo olhou para aquela cena, desconsolado, e saiu da sala aos prantos, convencido de que a filha não havia sobrevivido. Alcançou o corredor da maternidade sem falar com ninguém e deu de cara com o sogro, que esperava havia horas por notícias. Ali, Diogo finalmente chorou. Sua visão se esvaecia numa vertigem avassaladora. Temia que a tragédia fosse ainda pior: que Lívia também partisse. Era um pesadelo, e ele não sabia o que fazer.

Diogo sabia que, ao nascer, passara por um aperto semelhante. Albertina realizara a proeza de fazer seu parto na urgência de um minuto. Se ultrapassasse esse tempo, ele poderia ter tido o mesmo déficit de oxigenação que agora acometia sua filha. Foram longos minutos de agonia até que alguém da equipe médica conseguisse explicar a Diogo que a menina estava viva e fora encaminhada para a unidade de tratamento intensivo. Lívia estava bem, apenas exausta, e iria para o quarto em seguida.

Foram dois meses de internação. No terceiro dia, Lívia teve alta e precisou voltar para casa, cortada e sem a filha nos braços, algo que lhe era inconcebível. Diariamente, voltavam ao hospital, com a mesma garra que Gabriela demonstrava na luta pela vida. Na sala da chefia de gabinete no Palácio do Planalto, Gilberto Carvalho começou a reunir a equipe para rezar e transmitir boas energias em intenção da cura da Gabi. Quando ela finalmente trocou a UTI por um quarto comum, Lívia passou a dormir com ela. Superado o susto inicial, havia chegado a hora de agradecer. E comemorar o fato de que a dura experiência vivida por sua família naquele hospital não havia resultado em nenhuma sequela. Gabriela era uma menina saudável.

Restou o trauma da cesariana indesejada, de um nascimento atribulado e da sensação de impotência diante dos procedimentos hospitalares. Entre os amigos, houve quem os acusasse de ter "insistido demais no parto normal", como se os problemas vividos no nascimento da Gabi se devessem a essa preferência, e não aos procedimentos hospitalares utilizados.

Lívia decidiu que não passaria por aquilo de novo, não num hospital, sem ter o controle sobre seu corpo e sem ter respeitada sua integridade como mulher e mãe. Diogo, por sua vez, acompanharia Lívia nas decisões, sem coragem de pensar em repetir uma experiência como aquela. Cada um à sua maneira, os dois buscaram retomar a rotina, ele no terceiro andar do Planalto, ela terminando o Rio Branco, agora com a deliciosa companhia daquela garotinha. Uma coisa não mudou: encantado pela filha, Diogo continuava sem jeito para pegar bebê no colo e não curtia ser cobrado a dar banho, trocar fralda ou se levantar de madrugada.

Quando Gabriela começou a falar e a dar os primeiros passos, ali por volta de 1 ano e pouco, seus pais tiveram uma conversa séria. Uma, não, algumas. Lívia queria ser mãe novamente.

— Mas passar outra vez por aquela tensão no parto? — ele se angustiava.

Barganha para cá, negocia para lá, os dois entraram na fila da adoção. Mas a fila começou a demorar demais. Fato é que, no finalzinho de 2012, Lívia ficou grávida de novo, e desta vez sem surpresa. A gravidez fora planejada e os dois estavam dispostos a viver um parto novamente, mas agora com algumas condições. A primeira delas era que o bebê nasceria em casa.

Foi aquele fuzuê. Quando Lívia sentiu as contrações se intensificarem, logo depois de irem à médica e almoçarem juntos num restaurante, faltou tempo para os últimos preparativos. Diogo telefonou para o gabinete e avisou que não iria voltar ao trabalho naquele dia. Não deu mais detalhes. No nascimento da Gabriela, quatro anos antes, um dos principais motivos de nervosismo foi uma postagem feita pelo Diogo numa rede social anunciando que a mulher havia entrado em trabalho de parto. Pronto. As pessoas não paravam de telefonar pedindo notícias enquanto tudo começava a fugir do controle. Desta vez, para evitar essa pressão desnecessária, ninguém avisou ninguém.

Uma médica obstetra, uma enfermeira e uma doula cuidaram de tudo. Equipamentos de emergência, como ar comprimido, foram guardados no quarto ao lado. Diogo inflou a banheira onde seria o parto. Gabi - adivinha? - quis entrar na banheira e começou a pular, como se estivesse numa piscina, o que começou a desconcentrar a mãe. Lívia acabou pedindo à babá, que havia ficado ali excepcionalmente naquela noite, para levar a filha até a sala e ver um filme com ela. Quando o menino finalmente nascesse, a mãe a chamaria para que Gabi cortasse o cordão umbilical. A noite avançou, foi ficando tarde, e ela capotou.

Na banheira, o marido ajudava a suspender a esposa, abraçando-a por trás, enquanto ela inspirava e expirava, inspirava e expirava. Em determinado momento, em meio às contrações, Diogo sinalizou que precisava ir ao banheiro.

— Você não sai daqui agora nem ferrando — decretou a parturiente.

Agora eram dois os motivos que conspiravam para sua aflição: aquela criança que não vinha e a bexiga apertada. Diogo não sabia mais como segurar nem como lidar com a situação. Aproveitou a distração da esposa com uma contração mais comprida e pulou para fora da banheira, espalhando água por todo o trajeto até o banheiro mais próximo. Voltou aliviado, agora concentrado em apoiá-la na segunda parte do desafio.

Eram quase 23h30 quando o irmãozinho da Gabi - um menino! - saiu nadando de dentro da mamãe.

Até tentaram acordar a Gabi, mas ela não conseguiu despertar. Era tarde demais para uma menina tão nova. Ela não cortaria o cordão, como ensaiara tantas vezes, o que a deixaria frustrada por semanas. Na manhã seguinte, a irmã mais velha levaria um susto ao entrar no quarto dos pais e dar de cara com... um bebê.

— O cordão, Diogo! — foi a senha para ele entender que, sem a Gabi em campo, estava na hora de pegar a tesoura e fazer as honras da casa, ele mesmo.

— Péra aí! — o papai saiu correndo para outro quarto e voltou vestindo a camisa do Corinthians. — Agora, sim. Vai, Corinthians!

Caetano nasceu nos últimos minutos do dia 30 de agosto de 2013. Nasceu como Lívia sonhara: em casa, dentro da água, com música rolando, sem sofrimento, corte ou anestesia. Nasceu forte e saudável e não precisou nem de hospital nem de UTI ou respiração artificial. Com a água até a cintura, Lívia abraçava Caetano e era abraçada por Diogo, que chorava copiosamente. Tinha dado tudo certo!

Quando tudo parecia em ordem, assim que a equipe médica deixou a casa e um pacotinho repousava na cama de casal, já alta madrugada, Diogo, agora pai de dois, foi até a cozinha buscar um pote de sorvete Häagen-Dazs de doce de leite e duas colheres. Desde o início do namoro, não haviam inventado uma forma melhor de comemorar.

Nos anos seguintes, Diogo inflava de orgulho toda vez que alguém lhe dizia que os filhos eram a sua cara. Quando os dentes da frente se formaram, primeiro os da Gabi e depois os do Caetano, os vastos sorrisos o faziam pensar no quanto ele era felizardo. As crianças haviam herdado dele o pequeno vão entre os dentes da frente. Aquela era uma de suas marcas registradas, talvez a característica física mais acentuada que ele tinha, e na qual muitos notavam. "São meus filhos, mesmo", ele brincava, apontando os dentinhos.

Se dependesse apenas dele, os dentes separados passariam despercebidos. Mas não havia dentista que ele visitasse que não lhe propusesse corrigir aquela distância. "É tão feio assim?", ele se perguntava, reparando pela primeira vez em algo que nunca merecera sua atenção. Agora, nas bocas das crianças, a beleza dos dentinhos separados contribuiu para aquietar mais essa insegurança de Diogo e para mostrar que ele não tinha com o que se preocupar. Ou melhor, tinha, mas não em casa nem com os filhos. Ele tinha que se preocupar com certas coisas que aconteciam do lado de fora, como as manifestações ocorridas em junho de 2013, em que o povo pedia passe livre e mais investimentos em saúde e educação, e com os amigos do movimento sem-teto que, àquela altura, começavam a organizar a campanha "não vai ter Copa".

Diogo, sempre sagaz, começou a notar que as coisas estavam ficando muito estranhas.

17

Tudo que não presta

Foram 55.752.483 votos. Após 121 anos de governos republicanos conduzidos exclusivamente por homens, o Brasil seria pela primeira vez governado por uma mulher. E não qualquer mulher: em outubro de 2010, a escolhida para presidir o país foi uma ex-guerrilheira e ex-presa política, a primeira representante da "geração de 1968" a chegar lá.

Nascida em Belo Horizonte e domiciliada em Porto Alegre, onde se formou em Economia e deu início a uma longa trajetória como servidora pública, Dilma Rousseff tinha 63 anos quando se tornou presidente da República. Ou melhor, presidenta, conforme o epíteto que adotaria ainda no governo de transição. Ciente de que ambas as formas estão corretas, Dilma sabia que apenas uma delas acrescentaria uma camada extra de militância, semiótica e simbologia.

Mulher firme e exigente, nem sempre afável, Dilma aderira à luta armada muito jovem, na pior fase da repressão fardada, logo após o AI-5. Presa aos 23 anos, em São Paulo, resistira à ditadura militar, vencera a tortura e superara três anos de reclusão antes de *resetar* a vida em Porto Alegre e construir uma carreira na administração pública do Rio Grande do Sul.

Diogo conheceu Dilma Rousseff como ministra-chefe da Casa Civil, ainda no primeiro mandato do Lula. Filiada ao PDT, fora nomeada ministra de Minas e Energia no início do governo e migrara para a Casa Civil após a exoneração de José Dirceu, em meados de 2005. À frente de programas como o Luz Para Todos, que universalizou o acesso à energia elétrica, e o Programa de Aceleração do Crescimento (PAC), que concentrou investimentos vultosos e inéditos em infraestrutura e transporte, Dilma foi se cacifando politicamente até que o então presidente a escolhesse como sua potencial sucessora.

No governo Dilma, Gilberto Carvalho virou ministro da Secretaria-Geral da Presidência. O novo ambiente não o livrou de tarefas que já eram suas atribuições muito antes de aceitar o Ministério, como cuidar das relações entre o gabinete presidencial e os movimentos sociais e estabelecer contato com a sociedade civil organizada. Diogo acompanhou Gil nos primeiros meses, como chefe da assessoria especial. Mas nem o entusiasmo de servir à primeira presidenta, com "*a*", nem a saudade que sentiria da Lívia e da Gabi o fizeram desistir de um objetivo que não saía da sua cabeça: passar uma temporada fora do país.

— É para o doutorado, Gil — ele explicava. — É importante para mim.

Diogo fora aprovado para uma bolsa sanduíche em Nova York. No segundo semestre de 2011, cumpriria créditos como *visiting scholar* na Universidade Columbia, sob a orientação do professor Charles F. Sabel, com relevante produção nas áreas de direito, globalização e sustentabilidade. A experiência seria apoiada por uma instituição japonesa, o Fundo Sasakawa de Bolsas para Jovens Líderes (SYLFF na sigla em inglês).

Aos 32 anos, com uma filha de 2 e um importante cargo de confiança no governo, Diogo não titubeou em pegar o avião. Esforçou-se na "aplicação", pediu para Lívia revisar os textos em inglês e chegou a fazer três aulas por semana, de duas horas cada, com professor particular, começando às 6 horas, para tentar superar a insegurança com o idioma.

Diogo também queria se qualificar profissional e academicamente pensando no futuro. Ele sabia que a esposa, diplomata, em breve teria de deixar o Brasil para servir num posto no exterior e levaria a família junto. Àquela altura, era altamente recomendável que ele estivesse craque no inglês e pudesse turbinar o currículo com aquela temporada como *visiting scholar* na Columbia.

Antes de embarcar, Diogo se propôs a ajudar o ministro a formar uma equipe que tivesse competência e resiliência para reivindicar orçamento e protagonismo dentro de um governo que, desde o início, dava sinais de que não seria tão permeável aos movimentos sociais e às organizações da sociedade civil quanto o governo anterior. Setores da imprensa costumavam comparar os governos Lula e Dilma atribuindo a este um perfil mais "técnico" enquanto aquele seria mais "político". Internamente, o que se via era um núcleo duro aparentemente menos sensível a construções que, embora tivessem legitimidade e fossem justas em todos os sentidos, pareciam menos importantes no sentido de beneficiar menos pessoas ou impactar minorias específicas. Diogo entendia que o desafio da Secretaria-Geral, com Gilberto à frente, era justamente sensibilizar o gabinete presidencial para a urgência de abraçar esses temas e dialogar com o povo.

— O Gil pode desempenhar um papel muito importante no governo Dilma — ele comentava.

Diogo sabia que era preciso fazer as coisas acontecerem para que Gil lograsse consolidar seu espaço, emprestando densidade à pasta, preservando o orçamento e os quadros ali reunidos. Para a Secretaria Executiva da pasta, sugeriu ao ministro o nome de Rogério Sottili, alguém com perfil político e disposição para tocar muitos projetos, e que havia desempenhado a mesma função na Secretaria Especial de Direitos Humanos, com o ministro Paulo Vannuchi, no segundo governo Lula. Ajudou a montar a assessoria especial e a organizar a estrutura da Secretaria-Geral e, em seguida, zarpou.

Foi uma experiência imersiva em todos os sentidos. Ao longo de seis meses em Nova York, Diogo estudou muito. Passava boa parte do tempo na biblioteca. Apenas uma vez, recebeu a visita da esposa e da filha. Numa fotografia, o casal passeia pela ponte do Brooklyn com um bebê no colo.

De volta ao Brasil, no início de 2012, Diogo acabou retornando à Secretaria-Geral da Presidência. Ele bem que tentou resistir. Nas primeiras sondagens, dizia não estar a fim de trabalhar novamente no governo. O próprio ministro acreditava que não adiantaria convidar, porque ele estaria numa outra pegada. Era verdade. Diogo queria se dedicar à tese, queria que ela ficasse boa o suficiente para ser publicada, queria dar aulas, queria advogar. Passados quase dez anos desde a primeira eleição do Lula e mais de uma década atuando como assessor parlamentar ou na gestão pública, desde a temporada que passou na Secretaria Municipal de Transportes de São Paulo, entre 2001 e 2003, Diogo intuiu que era hora de fazer outra coisa. Mas sua intuição não resistiu ao entusiasmo diante dos relatos trazidos por quem estava no *front*.

O próprio Sottili, que tanto havia atazanado Diogo com pedidos de sugestões quando chegou à Secretaria-Geral, um ano antes, tratou de sentar-se com ele no café do Centro Cultural Banco do Brasil e passou duas horas descrevendo em detalhes cada projeto em andamento, incluindo um ousado Marco Regulatório das Organizações da Sociedade Civil (MROSC), que deveria deslanchar nos anos seguintes. Seu objetivo, acordado anteriormente com o ministro, era convidar Diogo para ser novamente chefe de gabinete de Gilberto Carvalho, agora na Secretaria-Geral. Diogo acabou convencido do momento especial que o governo vivia e aceitou o convite, retomando o mesmo estilo de antes, conciliador e eficaz, sempre cobrando resultados, sobretudo de si mesmo.

— Cada dia que passa é um dia a menos que temos para transformar a vida dos mais pobres — ele continuava repetindo.

No final daquele ano, outra mudança nas cadeiras: Rogério Sottili foi convidado a assumir, a partir de janeiro de 2013, a Secretaria Municipal de Direitos Humanos e Cidadania, novidade criada pelo novo prefeito de São Paulo, Fernando Haddad. Com a transição, Diogo acabou substituindo Sottili na Secretaria Executiva.

— A Secretaria Executiva deveria ter sido tocada pelo Diogo desde o início; só não o foi porque ele decidiu ir estudar em Nova York — Sottili resumia.

Diogo ainda não havia trocado a chefia de gabinete pela Secretaria Executiva quando defendeu o doutorado, em 2012. Tampouco esperou o novo cargo para começar a povoar o cardápio de atividades da Secretaria-Geral com temas que lhe pareciam imprescindíveis, inclusive alguns inspirados no que havia estudado na pós-graduação.

Uma das primeiras investidas nesse sentido foi abraçar uma demanda apresentada ao governo federal pela Marcha das Margaridas (tradicional manifestação promovida por trabalhadoras do campo e das florestas) e trazida a ele por Francisco Gaetani, então secretário-executivo do Ministério do Meio Ambiente (MMA), no início de 2012: a construção de um plano nacional de agroecologia. O estudo sobre o tema já havia avançado no MMA e reunia um diagnóstico e algumas ideias preliminares. Diogo se prontificou a promover o tema junto ao núcleo duro do governo. A meta, àquela altura, era consolidar uma proposta para ser entregue a Dilma. Na mesma tarde, encomendou à assessoria da Secretaria-Geral da Presidência que transformasse aquele relatório numa minuta de decreto, instituindo uma política nacional e convocou alguns assessores para acompanhá-lo no sábado seguinte a uma visita à fazenda Malunga, uma unidade de produção orgânica localizada a 70 quilômetros de Brasília, no Distrito Federal, a fim de conversar com os produtores para conhecer mais a fundo seus trunfos e desafios.

— Como podemos fortalecer esse documento para convencer a presidenta? — ele provocava.

Sua visão era quase sempre estratégica. A caminho da fazenda, conversava com sua chefe de gabinete, Fernanda Machiavelli, sobre o que ele entendia ser a missão deles no governo: encontrar os caminhos dentro do Estado para responder às demandas dos mais pobres. Para isso, era fundamental traduzir as pautas sociais para a linguagem técnica e vestir nela a roupa da burocracia. Se quisessem mudar o modelo de produção, precisariam fazer muito mais do que um decreto ou um plano. Seria preciso envolver as áreas sociais das empresas públicas e dialogar com as organizações populares, garantir adesão social e econômica ao projeto.

O Plano Nacional de Agroecologia e Produção Orgânica (PLANAPO) recebeu o nome fantasia de Plano Brasil Agroecológico e saiu do papel em 2013, coordenado pelo Ministério do Desenvolvimento Agrário junto com a Secretaria-Geral da Presidência e outros oito ministérios.

Além do Brasil Agroecológico e do MROSC – o marco regulatório do terceiro setor, que seria regulamentado em 2014 –, Diogo adotou um assunto como prioridade durante os dois anos que permaneceu como secretário executivo da Secretaria-Geral: os catadores de material reciclável. Com Dilma Rousseff no governo, já em 2012 o papel de Diogo foi fundamental para viabilizar o encerramento das atividades do aterro do Jardim Gramacho, em Duque de Caxias (RJ), de onde mais de mil catadores tiravam seu sustento. A insalubridade e o estrago provocado no meio ambiente eram tão grandes que havia muito se buscava uma solução para fechar o lixão, garantindo alguma segurança financeira para as pessoas que exploravam aqueles monturos. Graças à intermediação do Diogo, obteve-se uma linha de crédito que permitiu o pagamento de 14 mil reais de indenização a cada catador para que buscassem uma alternativa de moradia e sustento. Ainda no primeiro mandato, Dilma anunciou a incorporação da categoria dos catadores ao Programa Nacional de Acesso ao Ensino Técnico e ao Emprego, o PRONATEC.

Quem olhasse de fora para as atividades da Secretaria-Geral conseguiria enxergar a alta concentração de pautas de extrema urgência, focadas nas populações mais simples e marginalizadas, o que fazia daquela pasta a que mais dialogava com movimentos sociais e com a sociedade civil, como Diogo previra antes do intercâmbio nos Estados Unidos.

Ainda não havia começado a era dos memes quando uma frase proferida em novembro de 2013 por um deputado federal da bancada ruralista viralizou entre assessores e colaboradores da equipe de Gil e Diogo. O contexto era um encontro de produtores rurais no interior do Rio Grande dos Sul. O tema era a "ameaça" de regularização de terras indígenas e quilombolas. Ao pedir a palavra, o então presidente da Frente Parlamentar Agropecuária, deputado federal Luís Carlos Heinze, incitou os fazendeiros ali presentes a entrar em confronto com povos indígenas a fim de defenderem suas propriedades. O discurso foi gravado em vídeo e publicado em fevereiro do ano seguinte. Segundo Heinze, seus pares não deveriam se iludir com o fato de o governo federal ter liberado 150 bilhões de reais em financiamento para o agronegócio. Esse mesmo governo, ele dizia, praticava coisas condenáveis:

— Seu Gilberto Carvalho também é ministro da presidenta Dilma, e é ali que estão aninhados quilombolas, índios, *gays*, lésbicas, tudo o que não presta — declarou.

Tudo o que não presta. Era essa a imagem que parte da sociedade tinha daquela equipe, exatamente a que mais chamava para si a potência do diálogo, das reivindicações populares e da concertação social.

A declaração do deputado gaúcho repercutiu na imprensa. Gilberto

Carvalho foi chamado a se manifestar e lamentou o ocorrido. Tal declaração, segundo o ministro, seria "uma confissão sincera de um pensamento que está no subtexto, na consciência infelizmente de grande parte da sociedade". "O que presta", dizia, "é o que está dado, é o *status quo*, é o intocável, é o que domina. Tudo aquilo que incomoda, agita, que antes estava quietinho na senzala, ou aldeia, ou vivendo sua discriminação no silêncio, tudo isso passa a incomodar".

O episódio percorreu a Esplanada dos Ministérios, ora convertido em chiste, em piada. Pouco mais de um mês após a declaração vir à tona, levaram um cartaz com as palavras "Bloco do que não presta" para o aniversário de 35 anos do Diogo. O bonde da Secretaria-Geral estava afinado e com ânimo renovado. Mal sabiam os detratores que aquela gente, aninhada no quarto andar do Palácio do Planalto, tinha um orgulho danado de estar entre os que não prestam: os marginalizados, os excluídos, os flagelados, os vulneráveis. Era para eles que o governo deveria trabalhar em primeiro lugar.

Em julho de 2012, Diogo participou da organização de uma recepção às Mães de Maio, grupo formado por mulheres que perderam seus filhos para a violência policial numa chacina que se estendeu por alguns dias em maio de 2006, em São Paulo. O encontro delas no Planalto foi elaborado em parceria com a Secretaria Especial de Direitos Humanos, a Secretaria Nacional de Juventude e outras. As líderes do grupo já haviam demonstrado que não estavam dispostas a ir até Brasília para ouvir apenas um corolário de boas intenções, sem medidas práticas, de modo que as secretarias empenhavam-se em tirar uma série de ações do papel. Entre as novidades previstas havia o anúncio, pelo Ministério da Justiça, de uma ação estratégica de combate ao desaparecimento, além de uma nova fase do programa de proteção a testemunhas, a cargo da Secretaria Especial de Direitos Humanos.

As semanas foram passando e, no dia da audiência, nada aconteceu: os programas não foram viabilizados a tempo e nenhum anúncio relevante foi feito. Assessores e técnicos das diferentes pastas envolvidas no episódio não conseguiam disfarçar a frustração durante a reunião com as mães e nos dias que se seguiram. Ao fim da semana, na reunião de avaliação, quando todos permaneciam de cabeça baixa, disfarçando a decepção, Diogo conseguiu subverter a própria decepção e fez uma fala em que destacava o valor simbólico do ato, o fato inédito de aquelas mulheres terem entrado no Palácio, serem ouvidas, ganharem a mídia etc. Ele era assim, do pessimismo da razão, coerente com a observação dos fatos, passava prontamente ao otimismo da vontade, a uma prática sempre entusiasmada, revigorada, construtiva.

Talvez a mais tensa de todas as experiências na Secretaria-Geral tenha sido reagir às jornadas de junho de 2013, manifestações polifônicas distribuídas por diversas cidades do país e que tiveram como origem uma reivindicação de congelamento do preço das passagens no transporte coletivo. "Se a tarifa não baixar, São Paulo vai parar", prometia uma das faixas mais icônicas do movimento.

Sob a ideia-força de repudiar o aumento de vinte centavos decretado pelo recém-empossado prefeito de São Paulo, Fernando Haddad, um grupo de jovens reunidos no Movimento Passe Livre (MPL) acabou atraindo milhares de outros manifestantes, de diferentes origens e com diferentes intenções, que logo tomaram espaços como a Avenida Paulista, em São Paulo, e a Cinelândia, no Rio de Janeiro, externando sua decepção com os serviços públicos em geral - que não valiam os impostos pagos, segundo a narrativa adotada - e seu descontentamento com a política e os políticos.

Em junho, os protestos alcançaram o epicentro do poder, assustando parte da população. Jovens encapuzados ocuparam a laje do Congresso Nacional, em Brasília. Diogo foi uma das primeiras pessoas no governo a alertar:

— Precisamos trazer esse pessoal para dentro do palácio, botar o MPL para conversar com a Dilma.

Autorizado a correr atrás, Diogo se lembrou que alguns integrantes daquele movimento haviam estudado no Equipe, um pouco depois dele, e pediu ajuda ao Diogo Moyses. O xará ligou para a Manu, que ligou para o Legume, um dos líderes do grupo. A reunião com a presidenta foi agendada, para a surpresa dos ativistas, mas pouco trouxe de concreto.

Nos meses seguintes e até meados de 2014, reflexos desses discursos de indignação foram incorporados aos protestos contra os gastos realizados pelo governo para sediar a Copa do Mundo. Algumas bandeiras presentes nas jornadas de junho repetiram-se na campanha "não vai ter Copa", mobilizada por movimentos de esquerda a fim de frear as remoções e exigir mais investimentos em hospitais e escolas do que em estádios de futebol. Aos poucos, a antipolítica de 2013 fora substituída pela política "pé na porta" de 2014. Hospitais e escolas padrão FIFA, reivindicavam os ativistas, calejados pelas experiências de outros países e inconformados com a aparente leniência do governo com indícios de obras que haviam sido superfaturadas para atender a interesses particulares, sobretudo em cidades nas quais os equipamentos estariam fadados ao abandono após o mundial de seleções.

Coube à Secretaria-Geral da Presidência monitorar e dialogar com essas ações, sempre com inteligência e humildade. Quando Dilma foi vaiada no

Itaquerão no dia da abertura, Gilberto Carvalho foi voz dissonante no governo ao alertar que, ao contrário do que alardeavam os demais ministros, não foram apenas os ricos que a vaiavam. Também entre os que trabalhavam ao redor do estádio e entre os que acompanhavam o jogo pela televisão dos botecos, o sentimento era de descontentamento com o governo, segundo Gilberto. Os ventos começavam a mudar.

Em todos esses episódios, Diogo estava lá, cuidando do diálogo com a sociedade, da escuta qualificada, de apontar caminhos e inventar soluções. Sempre o mesmo Diogo, ávido, assertivo, contando os dias para o fim do governo - "cada dia que passa é um dia a menos..." - e disposto a fazer hora extra para melhorar a vida dos pobres.

Cabia a Lívia, que também trabalhava no Palácio do Planalto, junto com Marco Aurélio Garcia, assessor especial da Presidência da República para Assuntos Internacionais, chegar em casa, alimentar as crianças e colocar as duas para dormir, numa idade em que isso ainda significava embalar e contar histórias. O pai não aparecia antes das 22 horas.

Voltava tarde para casa sem culpa, apoiado no argumento de que estava trabalhando - e seu trabalho, como era sabido, consistia em resolver muitos problemas, tratar de coisas importantes, ajudar a melhorar o país etc. Aos colegas de gabinete, dependendo da hora, externava que seria melhor ficar mais alguns minutos por ali, uma vez que Lívia estaria colocando as crianças para dormir naquele momento, e ele atrapalharia se entrasse em casa. O problema é que isso se repetia quase todos os dias. Mais tarde, quando Gabi começou na escolinha e os pais criaram um grupo de WhatsApp, Diogo era do tipo que raramente lia as mensagens, tampouco prestava atenção aos e-mails da escola ou aos horários das reuniões. Ele estava muito ocupado cuidando do país.

— Eu vivo para trabalhar — declararia à *Revista Gama*, do portal Nexo, em maio de 2020. — Acho que é importante contar esse segredo para as pessoas: eu nunca vi, na minha trajetória profissional, uma pessoa conseguir fazer algo realmente importante e relevante... Se você quer fazer algo realmente importante e relevante, pode ter certeza de que vai ter que trabalhar muito para que essa coisa aconteça.

Num ano como 2014, de disputa eleitoral, vitória apertada de Dilma sobre Aécio Neves e contestação do resultado das urnas pelo PSDB derrotado, o amor militante foi convocado a sair da gaveta e cerrar fileiras mais uma vez junto ao casal. Lívia encarava a jornada dupla, mas o cansaço se acumulava e a paciência minguava. Aquela rotina representava um custo para a relação, e esse custo foi se acumulando. Mais cedo ou mais tarde, o desgaste ficaria evidente demais para disfarçar. E a conta chegaria.

Era mais ou menos este o estado da arte quando Lívia foi confirmada para o posto de diplomata na Missão do Brasil junto à ONU, em Nova York, e Diogo deixou o governo. Em dezembro de 2015, a família toda embarcaria para os Estados Unidos, apenas com as passagens de ida.

18

O golpe

Nas manhãs de inverno em Nova York, perto do Natal, é preciso enfrentar uma camada de neve para se chegar aos lugares. Nos parques e jardins, crianças se divertem manuseando flocos de gelo como se fosse massinha. Esculpem bonecos gorduchos e atiram projéteis brancos uns contra os outros – uma brincadeira quase tão divertida quanto guerra de mamona, quem lembra?

Quando se tem 6 anos, como Gabi, ou 2, como Caetano, e o frio na barriga de viver pela primeira vez em terra estrangeira, tudo ganha contornos de novidade: o sal espalhado na pista para derreter o gelo, o café aguado servido em copos de papel de 300 mililitros, o *bagel* com gergelim, a rede de basquete em quase todos os quintais, as paradas ufanistas de 4 de Julho, o noticiário sobre *baseball* preenchendo longos minutos no telejornal da noite.

Foi em dezembro de 2015 que a família Sant'Ana desembarcou de mala e berço na maior cidade dos Estados Unidos. Aquele havia sido um ano atípico. Um ano antes, após sete anos trabalhando com Gilberto Carvalho na chefia de gabinete e na Secretaria-Geral da Presidência, Diogo tivera de se reposicionar quando o ministro optou por pedir demissão ao final do primeiro governo Dilma. Na ocasião, Gil sentia que seu ciclo na administração federal havia se encerrado. As declarações públicas em desalinho com as da chefe e a constatação de que a presidenta não valorizava "os que não prestam" com a mesma intensidade que seu antecessor haviam reforçado essa sensação.

Com a iminente exoneração de Gilberto Carvalho, Diogo reunira a equipe, ainda em novembro de 2014, e alertara: a Secretaria-Geral teria um novo ministro a partir de janeiro de 2015, o nome ainda não estava posto e ele deixaria a pasta junto com Gil. Cada um que analisasse o que gostaria de fazer da vida e se mexesse para buscar uma atividade, um emprego, um desafio, uma colocação, um novo DAS – como são chamados, no jargão do serviço público, os cargos de direção e assessoramento superior.

Para Diogo, Gil não era apenas um ministro demissionário, mas um mentor e amigo, com o qual deixaria de trabalhar no dia a dia. Os dois haviam construído uma relação de parceria e afeto tão intensa que, após a morte de Átila, em 2020, Diogo chegaria a externar ao chefe que ele, Gilberto, era o "pai" que lhe havia sobrado. Além dos muitos anos de convívio profissional e da relação pessoal que os dois acabaram estabelecendo, sobretudo em momentos de maior ansiedade, como nos dias em que Gabi permaneceu na UTI neonatal e Gil conduzia orações diárias no gabinete antes do expediente (o que tocou o agnóstico Diogo de uma forma especial), fora ao lado do ministro que Diogo trocara pela primeira vez o lugar de assessor pelo lugar de autoridade, um passo enorme em sua trajetória. Na ausência de Gilberto Carvalho, por motivo de viagem ou incompatibilidade de agendas, era Diogo quem o representava, atuando diversas vezes como ministro interino. Para o menino do Socorro, uma revolução sem tamanho.

Em janeiro de 2015, Diogo estreara na Casa Civil, como chefe da assessoria especial. O ministro era Aloizio Mercadante, o mesmo que, líder do governo no Senado, convidara Diogo para morar em Brasília no começo de 2006. Passados nove anos, Diogo tinha outra musculatura quando assumiu o novo cargo. A temporada na secretaria executiva da Secretaria-Geral fizera dele uma pessoa conhecida, com muitos contatos e ótimo trânsito em toda a Esplanada. E com uma sensibilidade enorme para pensar politicamente: um olho nas prerrogativas da pasta e o outro no macro, na Política com inicial maiúscula, nos rumos do país.

Mas algo havia mudado para pior. Trabalhar ali não era a mesma coisa. Talvez porque Diogo soubesse que aquele seria um período curto, uma espécie de mandato tampão. Em poucos meses, Lívia receberia uma resposta oficial do Itamaraty e a família deixaria o país.

Embora mantivesse altos índices de entusiasmo a cada novo desafio que chegasse à sua mesa – a aventura da vez era encontrar uma alternativa para os milhares de refugiados do Haiti que chegavam de forma irregular pela fronteira do Acre, sem deixar de prover direitos e condições de vida aos que chegavam –, Diogo percebia que o governo se desgastava perante a opinião pública como nunca havia visto nos doze anos anteriores. Agora, ser parte do governo era, acima de tudo, defendê-lo.

Diogo tocava muitas coisas ao mesmo tempo, desde participar da avaliação dos nomes indicados para diretorias e assessorias nos diversos ministérios – as nomeações para o segundo escalão passavam sempre pela equipe da Casa Civil, à qual competia analisar os relatórios da Agência Brasileira de Inteligência (ABIN) e decidir se as pessoas eram confiáveis ou não – até encomendar estudos sobre direito econômico nos países da OCDE e na América Latina para elaborar uma nova proposta de tributação das grandes heranças – uma tentativa emergencial de aumentar a arrecadação numa época em que decretos cortando despesas se sucediam no governo.

Em agosto, houve uma troca de comando. Mercadante voltou para o Ministério da Educação e quem assumiu a Casa Civil foi Jaques Wagner, ex-governador da Bahia.

Diogo cumpria expediente na pasta quando o jurista e ex-procurador de Justiça Hélio Bicudo, aos 93 anos, protocolou um pedido de *impeachment* da presidenta Dilma, em 1° de setembro de 2015. Petista histórico e dono de extensa ficha de serviços prestados à democracia brasileira, como a denúncia dos Esquadrões da Morte, no final dos anos 1970, e a atuação como vice-prefeito de São Paulo, entre 2001 e 2004, na gestão de Marta Suplicy, Bicudo assinou a peça junto com o também jurista Miguel Reale Jr. e a advogada Janaína Paschoal, todos professores da USP. No documento, o 17° pedido de *impeachment* protocolado desde o início daquele ano, Dilma era acusada de cometer crimes de responsabilidade fiscal no uso de recursos da União.

Quando Lívia, Gabi, Caetano e Diogo embarcaram finalmente para os Estados Unidos, às vésperas do Natal, pairava sobre os analistas políticos a sensação de que, daquela vez, o PT e seus advogados, o governo e seus apoiadores, não conseguiriam conter a hemorragia.

Houve crime de responsabilidade que justificasse o *impeachment*? Diogo e a maior parte da torcida do Corinthians sabiam que não. O que havia era uma insatisfação difusa com o governo, um aparente cansaço após quase treze anos de governo petista, uma percepção generalizada de que havia problemas na economia, inclusive nas políticas sociais, em franca retração, e um senso de oportunidade que não seria dispensado pela oposição, tampouco pelas grandes empresas de comunicação. Na impossibilidade de vencer nas urnas, setores da sociedade mostravam-se dispostos a fazer o que estivesse a seu alcance para ganhar no tapetão. Até porque o núcleo duro do governo, com Dilma à frente, parecia insensível às cobranças da sociedade – dos ricos, da elite, do mercado, mas também da classe média e da população mais pobre.

A assinatura de Hélio Bicudo no pedido de *impeachment* foi celebrada pela oposição como uma espécie de bala de prata. O que ela representava, na narrativa turbinada pelos jornais e pelas emissoras de TV, era a adesão massiva à tese de que Dilma precisava ser afastada. A favor do *impeachment*, conforme as manchetes, estavam até petistas históricos, com mais tradição no partido do que a própria Dilma, e juristas notáveis, de índole pretensamente ilibada. Era golpe, um golpe evidente, perverso, mas um golpe ao qual se acrescentara com talento um verniz de legalidade.

Acompanhar a deflagração do golpe a partir de Nova York deixava Diogo enfurecido. Ele queria estar na Avenida Paulista quando movimentos sociais e partidos de esquerda buscaram reagir. Ele queria juntar sua voz ao coro que gritava "não vai ter golpe!" e se esmerava em explicar, das mais diferentes maneiras possíveis, que tirar uma presidenta honesta e eleita democraticamente não era o jeito certo de lidar com a crise. Ele queria estar na Sala dos Estudantes da São Francisco planejando o que fazer junto com a turma do XI. Ele queria estar no Planalto, na chefia de gabinete ou na Casa Civil, aquecido e com todos os alongamentos feitos para poder entrar em campo a qualquer momento, em qualquer posição.

Não demorou para que Diogo, sempre inquieto, encontrasse brasileiros dispostos a resistir desde Manhattan. *Defend Democracy in Brazil* (DDB) foi o nome dado ao movimento que assumiu a linha de frente da resistência ao golpe nos Estados Unidos. Formado em fevereiro de 2016 por artistas, estudantes, ativistas dos direitos humanos e do meio ambiente, lideranças políticas e de movimentos sociais vivendo em Nova York, o grupo organizou debates e passeatas, promoveu escrachos e distribuiu notas à imprensa. Em todos esses momentos, lá estava Diogo, invariavelmente empunhando uma faixa pela democracia e dizendo palavras de ordem ao microfone.

No dia 31 de março, dia de "descomemorar" o aniversário do golpe militar de 1964, ativistas do DDB promoveram uma manifestação na Union Square contra o golpe, desta vez parlamentar-midiático, que se ensaiava em Brasília. Diogo levou as crianças. Usava barba, vestia uma camisa xadrez sobre uma camiseta vermelha do PT e levava uma bandeira do Brasil nas costas. Vivíamos o início da apropriação indébita do verde e amarelo pela direita golpista, e Diogo, longe de casa, batalhava para que também este golpe, dolorido e simbólico, fosse igualmente evitado.

Em junho, numa outra manifestação, dessa vez na Times Square, o grupo aproveitou o início dos Jogos Olímpicos no Rio de Janeiro e promoveu uma performance visual com bambolês, cinco aros coloridos erguidos no ar de modo a formar o símbolo do Comitê Olímpico Internacional, para novamente denunciar a inconstitucionalidade do processo movido contra Dilma. "Sejam bem-vindos às Olimpíadas e ajudem a enterrar o golpe", dizia uma das faixas, em inglês. "Diga não ao golpe no Brasil", reforçava, também em inglês, o cartaz levado por Diogo, já sem a barba.

No Brasil, o calendário do golpe seguia em alta velocidade. Dilma foi afastada da Presidência em 12 de maio de 2016, assim que a abertura do processo de *impeachment* foi aprovada na Câmara dos Deputados, em tempo recorde. Em seguida, aquartelou-se por 109 dias no Palácio da Alvorada, cercada pelos assessores mais próximos e pela equipe de defesa, até a manhã do dia 29 de agosto, quando foi ao Senado para falar por 45 minutos e encarar doze horas de interrogatório, respondendo a perguntas de 48 senadores. Em sua fala, Dilma lembrou o golpe de 1964 e a experiência de lutar pela democracia, resistindo à tortura e à prisão. "Na época, eu era muito jovem", discursou. "Tinha muito a esperar da vida. Tinha medo da morte, das sequelas da tortura no meu corpo e na minha alma. Mas não cedi. Resisti."

Toda a violência não fora suficiente, segundo Dilma, para convencê-la a mudar de lado e a trair seus ideais. "Não seria agora, após ser mãe e avó, que abdicaria dos princípios que sempre me guiaram", ela dizia. "Exercendo a Presidência da República, tenho honrado o compromisso com o meu país, com a democracia, com o Estado de Direito. Tenho sido intransigente na defesa da honestidade na gestão da coisa pública."

Emparedada, mas altiva, Dilma pisava com segurança num tabuleiro conflagrado e avançava, casa a casa, com um discurso claro e sereno como raras vezes havia perpetrado. "Por isso, diante das acusações que contra mim são dirigidas neste processo, não posso deixar de sentir na boca, novamente, o gosto áspero e amargo da injustiça e do arbítrio. E, por isso, como no passado, resisto. Não esperem de mim o obsequioso silêncio dos covardes. No passado, com as armas, e hoje com a retórica jurídica, pretendem novamente atentar contra a democracia e contra o Estado de Direito." E ainda: "Não luto pelo meu mandato por vaidade ou por apego ao poder, como é próprio dos que não têm caráter, princípios ou utopias a conquistar. Luto pela democracia, pela verdade e pela justiça. Luto pelo povo do meu país."

Diogo acompanhava tudo com revolta e desalento, mas ainda vibrando a cada frase de Dilma, como se houvesse tempo de virar votos, de convencer os parlamentares a decidir com serenidade e justiça. Fora assim, anos antes, na partida em que a seleção alemã eliminou a seleção brasileira da Copa do Mundo pelo vergonhoso placar de 7x1. O Brasil já apanhava de cinco e Diogo ainda torcia, berrava, fustigava os jogadores a ir para o ataque e dizia que ainda dava, ainda dava, ainda dava. No 7x1 desferido pela oposição contra a valente guerrilheira na arena do Senado, uma chama teimosa mantinha uma réstia de esperança na atitude de Diogo, mas era uma esperança fugidia, retórica, sem lastro na realidade. Concluída a leitura da defesa, foram superadas algumas obstruções e, no dia seguinte, deu-se início à votação. Após uma fatídica sessão que varou a madrugada, Dilma Rousseff teve seu mandato finalmente cassado com 61 votos a favor do *impeachment* e 20 contra, na manhã de 31 de agosto de 2016. Às 16 horas, Michel Temer estava oficialmente empossado na Presidência da República.

Foi um dia triste em Nova York. Naquela e nas semanas seguintes, Diogo e Lívia acompanharam à distância equipes sendo desmembradas, colegas exonerados, assessores voltando para seus estados. Após treze anos e oito meses, o campo progressista deixava o governo federal com a popularidade lá embaixo, vitimado por acusações frágeis, uma presidenta cassada e um presidente investigado, ambos considerados corruptos por metade da população.

Diogo entendeu que a disputa política deveria continuar, agora com ainda mais força. Não por orgulho ferido ou pelas migalhas que a esquerda poderia colher nas eleições municipais, marcadas para dali a trinta dias, mas porque a injustiça contra Dilma certamente não resistiria à História, as mentiras seriam desmascaradas e o ciclo de avanço da direita não demoraria para retroagir. Quanto tempo, ele não sabia. Quatro anos? Seis anos? Quanto mais eles se esforçassem em fazer a disputa política, menos tempo levaria.

O ideal, neste sentido, seria conciliar dois movimentos principais. De um lado, não dar sossego para Michel Temer, para o presidente da Câmara, Eduardo Cunha, e a todos os que haviam participado da orquestração do golpe. Era fundamental denunciá-los em cada gesto, em cada erro e em cada tramoia, perante a opinião pública e no Judiciário. Petições, notas, coletivas de imprensa, entrevistas, palestras, pareceres jurídicos assinados por grandes nomes do Direito e até escrachos, toda forma de denúncia era válida.

O primeiro grande protesto simbólico contra o agora presidente Temer ocorreu justamente em Nova York e foi organizado pelo DDB. No dia 18 de setembro, Temer desembarcou na cidade para participar da Assembleia Geral das Nações Unidas e foi recepcionado no hotel a gritos de "fora, Temer". "Temer *get out*", "Golpista" e "*Brazil is not for sale*" eram alguns dos recados anotados nas faixas.

Simultaneamente, era preciso insistir nas muitas conquistas obtidas naqueles treze anos de governo do PT, explicar o que aconteceu com a economia no governo Dilma e por que não havia crime de responsabilidade, roubo, desvio ou algo que pudesse ensejar aquele atentado à Constituição. Ainda muito jovem, Diogo não tinha se disposto a passar um ano explicando, repetidas vezes, o que acontecera na gestão financeira do XI de Agosto entre 1998 e 1999? E não tinha insistido para que o grupo mantivesse a cabeça erguida, formando chapa nas eleições seguintes, a despeito dos altos índices de rejeição? Naquela época, dois anos longe da direção do centro acadêmico tinham sido suficientes para o Ruptura voltar, ainda mais forte, na gestão de 2002. Diogo sentia que o PT em breve voltaria ao governo. E que o intervalo entre a queda e o retorno poderia ser encurtado se eles fizessem algumas lições de casa, entre elas buscar maior unidade no campo democrático, acenar para o centro político na figura de jovens lideranças, sobretudos mulheres e negras, e manter Dilma em evidência, quando muitos setores preferiam escondê-la. Dar a cara, responder perguntas, participar de encontros em universidades, tudo isso ajudaria a reabilitar a esquerda e o PT, ele intuía. Quem não deve não teme, diz o ditado.

A notícia de que Dilma viajaria aos Estados Unidos em abril de 2017 para fazer a palestra de abertura da Brazil Conference – encontro anual organizado por estudantes brasileiros da Universidade Harvard e do Instituto de Tecnologia do Michigan, o MIT, ambas instituições em Cambridge, na região metropolitana de Boston –, foi recebida com entusiasmo por Diogo. Era isso. Dilma precisava circular, dar entrevista, participar de conferências mundo afora, uma forma de seguir denunciando o golpe, agora em âmbito internacional. Sua primeira reação foi pensar que uma palestra em Harvard era muito pouco. Era preciso agitar, conversar com outras universidades e instituições, eventualmente sindicatos e observatórios da democracia, e fazer a presidenta eleita excursionar. Diogo se deu conta de que poderia ajudar nisso.

O primeiro passo seria juntar os brasileiros de Nova York que estavam engajados no DDB e que tinham relações com outras universidades para conversar sobre o assunto e ver que faculdades topariam recebê-la. Columbia poderia ser o ponto de partida. Junto com um casal de amigos que cursava administração pública naquela universidade – o Alessandro Passos, que ele havia conhecido no Brasil, e sua esposa, Talita Nascimento – Diogo convocou uma galera que estudava na SIPA, a Escola de Relações Públicas e Internacionais da Columbia, e outra do Centro Lemman, e foram todos para uma sala da universidade a fim de planejar o que fazer. O primeiro passo foi consultar a direção da Columbia para verificar se eles autorizariam uma conferência com a presidenta cassada do Brasil. A carta branca chegou em instantes. Pronto, agora era preciso convidar a Dilma, consultar sua disponibilidade e seu interesse. Se ela topasse, marcariam uma data e o grupo distribuiria as tarefas para organizar toda a logística necessária.

— E como a gente vai consultar a Dilma? — um dos estudantes quis saber.

— Vamos ver isso agora mesmo — Diogo respondeu, todo mobilizado, buscando um telefone fixo ao canto da sala. — Deixa eu ligar para a assessora dela.

O grupo ficou em silêncio enquanto a ligação era atendida.

— Alô, por gentileza, eu gostaria de falar com a Paula — Diogo pediu.

No instante seguinte, o grupo viu Diogo ficar pálido e mudar o tom abruptamente.

— O-oi, pre-presidenta. Aqui é o Diogo de Sant'Ana, como vai a senhora?

Atônitos e de olhos arregalados, todos escutavam com a maior atenção do mundo o que ele dizia. Os que não entendiam português sacaram que algo excepcional estava acontecendo naquela sala. Diogo repetia algumas das frases que ouvia através do aparelho a fim de deixar o resto do grupo a par do que acontecia.

— A senhora faz questão de vir? Ótimo.

A turma vibrava.

— Quem eu devo procurar para oficializar o convite e confirmar a data, então?

Diogo acabou liderando a organização de um valioso debate na Columbia no dia 11, três dias após a Brazil Conference, com uma introdução do reitor da universidade, John H. Coatsworth, seguida de quarenta minutos de conferência e quase uma hora de perguntas da plateia. Além disso, tomou a iniciativa de ajudar a organizar a agenda da presidenta de modo a aproveitar ao máximo aquela viagem.

Ao longo de duas semanas, Dilma faria palestras em outras cinco universidades, incluindo um encontro com o brasilianista James Green na Universidade Brown, em Rhode Island, no dia 10, e uma conferência ao lado da filósofa feminista (e marxista) Nancy Fraser na New School, também em Nova York, no dia 12. Nesses dias, Diogo era visto para cima e para baixo com ela. No dia 14, o ex-secretário executivo da Secretaria-Geral da Presidência levou Dilma para um encontro com ativistas e líderes sindicais no Instituto Murphy, uma das escolas da City University of New York (Cuny), e a ciceroneou numa exposição de fotografias de protestos contra o *impeachment* realizados nos Estados Unidos e organizada pelo DDB.

Para quem o visse em ação, ficava evidente a fidelidade de Diogo à ex-chefe, num momento em que muita gente, mais próxima à Dilma do que ele, já havia virado a página - quiçá as costas - e estava mais interessado em fazer oposição a Temer e em preparar a próxima sucessão do que em disputar a narrativa do golpe e reabilitar a imagem da presidenta golpeada.

Entre uma agenda e outra, Diogo estudava. Ao longo do ano letivo que começara em agosto de 2016 e terminaria em junho de 2017, Diogo passou uma nova temporada como *visiting scholar* na Columbia, mais uma vez sob a orientação do professor Charles Sabel, o mesmo que o havia orientado no doutorado sanduíche, cinco anos antes. Cursou duas disciplinas, manteve uma rotina de conversas semanais sobre direito e desenvolvimento com Sabel e, enquanto isso, ia treinando o idioma, seu ponto fraco.

No começo de 2017, Diogo foi bem classificado no Toefl, exame de proficiência em inglês cuja nota vale pontos nos processos de seleção das principais universidades americanas, e pôde "aplicar" para seu maior objetivo desde que a mudança para Nova York ainda era um projeto a ser tirado do papel: cursar uma pós-graduação em Harvard.

Seu plano vinha sendo desenhado desde que Diogo e Lívia passaram a conversar mais seriamente sobre mudar de país. Afinal, ela era diplomata e contava os meses para embarcar em sua primeira missão em terra estrangeira. Diogo se deu conta de que, para acompanhar Lívia na vida de diplomata, ele também precisaria se capacitar para uma carreira internacional. Além do inglês fluente, ou o mais próximo disso que ele conseguisse, seria importante aprimorar o currículo com algum diploma obtido em alguma universidade reconhecida em qualquer lugar do mundo.

Sua expectativa disparou quando Diogo descobriu a Harvard Kennedy School of Government e soube que certas instituições ofereciam bolsas para que lideranças de países em desenvolvimento cursassem um mestrado de meio de carreira em administração pública naquela escola.

Desta vez, a tentativa foi bem-sucedida e Diogo foi aprovado. Um ano antes, às vésperas da mudança de país, Diogo fizera sua primeira aplicação para Harvard. Na ocasião, havia se candidatado ao mestrado em Direito na Harvard Law School. Separou todos os documentos, traduziu os diplomas, o currículo e o histórico escolar, escreveu uma carta de próprio punho (em inglês) e ainda conseguiu uma carta de recomendação assinada por ninguém menos que o ex-presidente Lula.

É com satisfação que recomendo Diogo de Sant'Ana para cursar o Mestrado em Direito da Harvard Law School. Ele integrou minha equipe no gabinete pessoal da Presidência da República entre os anos de 2008 e 2010. Seu trabalho contribuiu para concretização de um conjunto de políticas públicas que melhoraram a qualidade de vida da população no Brasil, especialmente dos mais pobres.

[...]

Acredito que o fato de ter vivenciado o cotidiano do gabinete pessoal da Presidência da República Federativa do Brasil – ajudando a concretizar as decisões ali tomadas e acompanhando reuniões com ministros, empresários, professores, organizações da sociedade civil, sindicatos, membros do Poder Judiciário e membros do corpo diplomático – propiciou ao candidato uma excepcional experiência e um conhecimento profundo dos desafios do país. Isso certamente contribuirá para seus estudos e planos futuros.

Por estas razões tenho convicção de que vale a pena recebê-lo em sua instituição.

Cordialmente,

Luiz Inácio Lula da Silva

Ex-presidente da República Federativa do Brasil

A reação de Diogo não foi das melhores diante da reprovação. Para quem esperava chegar aos Estados Unidos já matriculado no mestrado em Harvard, não ter sido selecionado representou um balde de água fria com implicações práticas no cotidiano. Ele não estava preparado, por exemplo, para passar uma temporada sem salário, sem bolsa, sem rotina e sem nem mesmo estudar.

Diante da primeira tentativa malsucedida de entrar em Harvard, recorreu às aulas na Columbia para ter uma rotina acadêmica e traçar uma estratégia de desenvolvimento profissional. Um ano depois, na primavera de 2017, "aplicou" novamente e, dessa vez, foi aprovado. O casamento, no entanto, degringolava.

Houve, naquele momento, uma convergência de fatores que, cada um à sua maneira, vinham afetando negativamente a relação dos dois. Primeiro, é claro, a tensão de assistir, à distância, ao que se passava no Brasil: o golpe, a criminalização da esquerda, a ascensão de uma direita sem verniz democrático. Em segundo lugar, o exílio. Por mais que tentasse, Diogo não conseguia evitar a sensação de que estava ali deslocado, subaproveitado e impotente, enquanto havia tanto a ser feito no Brasil. Em vez de curtir a cidade, cheia de opções de passeios, Diogo permanecia macambúzio, entre o luto pós-golpe e a expectativa com a ida para Harvard.

Lívia, analisanda, perguntava-se o tempo todo se fazia sentido continuar numa relação que parecia haver estagnado. Fazia tempo que ela tentava puxar Diogo, arrancar dele uma nova atitude, encontrar uma pulsão que o movesse para além da vida política, que lhe permitisse encontrar satisfação na vida familiar, num amor que transcendesse a militância. O que eles ainda curtiam fazer juntos? Qual elo ainda os unia? Que admiração recíproca ainda existia?

Ela, que havia muito insistia para que Diogo fizesse terapia, agora propunha que ele topasse ao menos algumas sessões de aconselhamento psicológico ao casal, coisa que ele nunca aceitou. Completado o primeiro ano nos Estados Unidos, Lívia sentia como se uma separação fosse inevitável. Ela postergava em colocar as fichas na mesa, às vezes para evitar o conflito, outras vezes por um impulso de preservação, uma tentativa de poupar Diogo e as crianças, sobretudo quando pensava nas implicações de uma separação no exterior. Ao mesmo tempo, naquele início de 2017, pouco depois de acompanhar Dilma por duas semanas nas universidades da Costa Leste, Diogo entrou num processo de negação, de não reconhecer o que estava se passando em sua própria casa, em seu próprio quarto.

— Tá todo mundo se separando no Brasil... — ele dizia. — A gente não está se separando, né?

Esse esboço de diálogo aconteceu em mais de uma ocasião. Na primeira vez, Lívia sorriu e desconversou. Na segunda, soltou um monossílabo qualquer, sem ânimo para discutir a relação e, ao mesmo tempo, convencida de que não deveria reagir com humor ou ironia. Até que, numa noite, às vésperas da mudança dele para Cambridge a fim de dar início ao mestrado em Harvard, a abordagem se repetiu.

— Caramba, fulano também se separou. Nosso casamento está bom, né?

— Então...

Lívia ousou olhar nos olhos do marido e dizer a ele o que vinha remoendo havia meses. Fez um resumo de tudo o que estava acontecendo, falou das distâncias, dos desgastes, das contradições entre eles, e sugeriu que dessem um tempo.

— Acho que a gente tem de aproveitar que você está indo para Harvard e dar um tempo agora.

A reação, como ela imaginava que aconteceria, não foi das mais maduras. Diogo sentiu-se golpeado: um segundo golpe em menos de um ano, agora não um golpe contra a democracia, mas contra os escombros de um casamento que ele queria crer que estivesse preservado.

Diogo poderia ter reconhecido a crise e elencado possibilidades de soluções. Poderia ter admitido, pela primeira vez, a hipótese de uma terapia de casal. Em vez disso, roeu a corda, tensionou o barbante, pediu seis.

— Esse papo de dar um tempo... - ele parecia perplexo, indignado. — É separar que você quer? Então acaba com isso de uma vez - e pôs-se a colocar todas as roupas na mala, indiferente ao horário.

Naquela mesma semana, Lívia se mudou com as crianças para um apartamento menor e coube a ela dar a notícia às crianças. Diogo se instalou num apartamento compartilhado em Cambridge para dar início ao mestrado na Harvard Kennedy School of Government. Juntos, ou melhor, separados, os dois teriam de aprender na prática a lidar com a nova condição: estavam se divorciando.

19

Harvard

— Bora chamar o Mangabeira Unger lá em casa? A gente convida o grupão, compra umas bebidas e alguma coisa para beliscar e faz uma roda de conversa.

Diogo não parava. Seu negócio era articular, propor atividades extras, perguntar, confrontar e aprender sempre um pouco além do previsto. E, principalmente, dialogar. Ainda mais em Harvard. Estar ali, cercado por tanta gente, de tantos lugares diferentes, com visões de mundo e experiências tão distintas, e não se abrir para as tantas possibilidades de diálogo parecia o fim da picada.

Seu cálculo era simples. Uma breve retrospectiva ajudaria a reforçar o imperativo do diálogo. Um ano e meio antes, um golpe havia provocado um tsunami na política brasileira. Milhões de pessoas tinham ido às ruas para exigir a saída de uma presidenta honesta. Agora, em março de 2018, o ex-presidente da República mais admirado da história do Brasil, mais que Getúlio, estava na iminência de ser preso injustamente enquanto um juiz parcial era aclamado como herói. Parte da sociedade pedia intervenção militar. E havia uma direita belicosa, excessivamente reacionária, em ascensão no país. Não por acaso, fazia dois meses que a obra de não ficção mais vendida nos Estados Unidos era um livro escrito por dois professores de Harvard e que trazia na capa um título instigante: *Como as democracias morrem*.

Com tudo isso acontecendo, a melhor alternativa para os democratas era dialogar, Diogo acreditava. E por que não com Mangabeira?

Ex-ministro de Assuntos Estratégicos nos governos Lula e Dilma, dono de uma visão desenvolvimentista calcada na soberania nacional, Mangabeira vivia em Cambridge e lecionava em Harvard desde os 24 anos (agora, ele tinha 70). Naquela primavera de 2018, dividia o curso "Política Econômica depois da Crise" com o professor e economista Dani Rodrik. As aulas aconteciam na escola de Direito de Harvard e Diogo estava entusiasmado com elas.

Numa das aulas, aconteceu um episódio que fez todo mundo dar risada. Diogo tinha dificuldade com o idioma. Chegou falando um inglês sofrível, reclamando do número de vezes que precisou fazer o Toefl até conseguir uma classificação razoável, e fora perdendo a vergonha ao longo das semanas. Agora, embora ainda cometesse uma série de erros e tivesse um acento forte, latino, característico, seu léxico e a sintaxe haviam melhorado sensivelmente. Mérito do desejo de dialogar e da cara de pau que lhe eram característicos. Diogo não desperdiçava oportunidade de levantar a mão e fazer pergunta. Um dia, no final de março, ousou interpelar o ex-ministro. Com fineza e elegância, jamais com grosseria, arriscou um preâmbulo, destacou os pontos altos da argumentação do professor, e, entre um "quem sabe" e um "e se", sugeriu que a teoria de Mangabeira Unger poderia não estar 100% correta. Tudo em inglês. Para completar, um pedido:

— Professor, hoje é meu aniversário. Então, assim, se puder, pega leve na resposta.

Para a maioria dos alunos, parecia um tanto fora da curva a ideia de receber um professor numa república estudantil, mesmo que de estudantes do mestrado. Ainda mais um professor de 70 anos, com reputação internacional, com passagens por governos e ministérios. Esse Diogo era mesmo um cara arrojado.

— Gente, o Mangabeira topou! — ele anunciou. O encontro iria rolar.

Não era a primeira vez que Diogo e seus *roommates* recepcionavam uma roda de conversa com algum convidado ilustre. Outros professores do curso já haviam passado por ali para conversar mais demoradamente com os brasileiros. Numa das reuniões, a mais concorrida de todas, que juntou estudantes de diversos países da América Latina, o convidado foi o economista venezuelano Ricardo Hausmann, que havia sido ministro do planejamento em seu país e dirigia o Growth Lab, um núcleo de pesquisas em crescimento econômico no Centro para o Desenvolvimento Internacional de Harvard. Se dependesse do Diogo, esse tipo de encontro aconteceria pelo menos uma vez por mês.

O amplo apartamento de 120 metros quadrados ficava num predinho azul de apenas três pavimentos no número 28 da Hingham Street, a 50 metros do Rio Charles, no Riverside, um bairro residencial lindamente arborizado de Cambridge. Diogo dividia o apartamento com dois estudantes: Ana Galli, de Brasília, e Thiago Lamelo, de São Paulo. Mas, numa ocasião como aquela, chegava a receber mais de 20. Quando a noite era de festa, e não de debate, havia vezes em que 80 pessoas se juntavam ali.

Discreto, Diogo não saía contando para todo mundo sua experiência nos governos Lula e Dilma, tampouco se gabava de, três anos antes, ter atuado como ministro interino da Secretaria-Geral da Presidência, substituindo Gilberto Carvalho em algumas ocasiões. Houve amigos que só foram saber disso seis meses depois de conhecê-lo. Mas Diogo mantinha uma foto dele com o Lula num porta-retrato (ao lado do copo do Corinthians) e gostava de ser identificado como militante do PT. Era, sobretudo, um pesquisador aplicado, bolsista da Fundação Lemann, entusiasta de novas lideranças que emergiam no campo progressista, sobretudo mulheres e ativistas do movimento negro, ou que transitavam entre uma esquerda *soft* e uma direita liberal.

Havia uma razão para isso. Preocupado com a ascensão da extrema-direita e o estrago causado pela desinformação, no Brasil, nos Estados Unidos, na Inglaterra e em outros países, Diogo achava fundamental "conviver com os divergentes para melhor lutar contra os antagônicos", como bem propusera Paulo Freire no livro *Pedagogia da Esperança*. A temporada em Harvard tinha tudo para contribuir nessa estratégia. Um dia, encontrou o economista Thomas Piketty, autor de *O capital no século XXI*, e não perdeu a oportunidade de abordá-lo no meio de um coquetel, dizendo basicamente que ele precisaria incluir o Brasil em suas pesquisas sobre desigualdade. Simultaneamente, Diogo estava envolvido em iniciativas suprapartidárias como o Pacto pela Democracia e pontificava pela substituição de qualquer forma de sectarismo pela convergência programática. Mas, ainda que vivesse a política e pensasse a política a maior parte do tempo, ali no prédio azul ele era antes de tudo o cara das festas.

Na primeira balada que ele e Ana ousaram promover, ainda nos primeiros dias do curso, Diogo foi logo distribuindo tarefas.

— Quem pode trazer uma caixa de som com *bluetooth*? Carlos, você traz a cachaça? Duda, você sabe fazer caipirinha? Mas ó, essa é uma parte muito importante da festa, hein.

Havia 219 alunos de 91 países matriculados no mestrado em Administração Pública da Kennedy School e a notícia da festa circulou amplamente. Na hora H, 80 pessoas aglomeradas na sala, um som fraquinho que não dava conta do recado, e Diogo fazendo as honras da casa, transmitindo alegria e entusiasmo e administrando uma *playlist* com o suprassumo do samba e do pagode. A cada 15 minutos, voltava até a cozinha para conferir a linha de montagem das caipirinhas.

— Os gringos estão curtindo. É docinho, sabe como é.

Lá pelas tantas, era tanto suingue e tanta birita que um milagre aconteceu: o som pifou de vez, a música parou, e nem por isso os muitos estudantes da África do Sul, da Alemanha, da Argentina ou dos Estados Unidos se incomodaram: seguiram dançando como se nada tivesse acontecido.

A partir daquela noite, o apartamento do prédio azul virou o *point* dos brasileiros, uma espécie de embaixada extraoficial do Brasil na escola de governo de Harvard.

O apartamento era um achado. Em geral, os colegas moravam em lugares menores, mais apertados e em bairros piores. Muitos moravam sozinhos, é verdade, mas nenhuma opção era tão intensa, divertida e confortável quanto compartilhar aquele apartamentão. Diogo havia se dado bem no sorteio. Garantiu uma das maiores e melhores habitações disponíveis, com três dormitórios grandes, sendo uma suíte, e uma sala que se transformava facilmente em pista de dança. A Kennedy School ficava a apenas 15 minutos a pé. Se quisesse dar um pulo no MIT, meia hora de caminhada seria suficiente. Em uma 1h10min de marcha, ou 15 minutos de carro, chegava-se ao centro de Boston.

Antes mesmo de desembarcar na cidade, os brasileiros que haviam se matriculado nos cursos de pós-graduação em Administração Pública encontravam-se nas redes sociais e nos grupos de WhatsApp. Naquele ano, seriam sete alunos brasileiros no mestrado de meio de carreira, que acolhia estudantes com idades entre 35 e 45 anos, e mais um tanto equivalente no mestrado de início de carreira, adequado para jovens dos 25 aos 30. Quando Diogo sorteou aquele apartamento, bastaram duas ou três trocas de mensagens para que se definissem os novos inquilinos. Originalmente, Diogo compartilharia o imóvel com Ana Galli e Marina Bragante, uma estudante de São Paulo que havia sido secretária adjunta de Desenvolvimento Social do Estado de São Paulo no governo do PSDB e que se mudaria para lá com o marido. Na hora H, foi preciso fazer uma mudança nos planos porque Marina chegou com o cachorro e o prédio azul não aceitava animais. Thiago, 12 anos mais jovem que Diogo e Ana, acabou entrando no lugar do casal. Imediatamente, Diogo colocou em prática o centralismo democrático para decidir que a suíte ficaria com ele. Afinal, ele era o mais velho e o único dos três que tinha filhos, mesmo que apenas de vez em quando eles viessem visitá-lo.

Normalmente, era Diogo quem viajava para encontrá-los. A cada três semanas, tomava o ônibus em Boston na sexta-feira e ia passar o fim de semana em Nova York com as crianças. A separação recente, que ele preferia classificar de intempestiva, trouxe algumas complicações. A primeira novidade é que, naqueles primeiros meses, ele não conseguia dividir o espaço com Lívia. Combinaram o seguinte: nos fins de semana em que ele fosse ver as crianças, Lívia sairia de casa para que ele pudesse ficar ali. É claro que o distanciamento físico, naquele momento, teria a vantagem de estimular Diogo a assumir maiores responsabilidades. Ao longo de dois dias inteiros, ele precisaria administrar os horários, as rotinas, as refeições, verificar se as crianças estavam de banho tomado, se havia alguma lição de casa para segunda-feira e assim por diante. Pai integral, como apenas excepcionalmente ele havia sido nos anos anteriores.

Outras vezes, as crianças é que iam visitar o pai e aproveitavam para conhecer a cidade onde ele estava morando. Foram ao Aquário de Boston, passearam de veículo anfíbio pelo canal. Essas visitas aconteceram bem menos, algo como duas ou três vezes apenas, e exigiam uma logística especial. Numa ocasião, por exemplo, Diogo alugou um carro, foi até Nova York buscá-las, e, terminado o fim de semana, viajou novamente para levá-las de volta. Em outra, Lívia levou as crianças até Boston e aproveitou para passar o fim de semana ali, sozinha, percorrendo aquele pedaço dos Estados Unidos que ela ainda não conhecia.

Nos fins de semana em que não estava com as crianças, Diogo não demorou para se jogar na pista, novamente solteiro após 18 anos. Ao longo do ano letivo, Diogo se envolveu com diversas mulheres. Alguns colegas pegavam no pé, diziam que ele estava muito carente, agindo com pouco critério, e que já tinha idade para priorizar a qualidade em detrimento da quantidade. Diogo não dava ouvidos. Para facilitar as coisas, numa cidade estranha e depois de concluir que a maioria das mulheres da sua turma estavam casadas, abriu uma conta no Tinder, um aplicativo de namoro georreferenciado que sugere parceiras e parceiros com base em quesitos como local de moradia, idade e "interesses". Pelo celular, Diogo marcou encontros com garotas de diferentes idades, origens e culturas, numa profusão que só as cidades universitárias podem proporcionar. E sentia dificuldade para decifrar algumas mensagens em inglês, as entrelinhas, o sentido por trás das palavras empregadas.

— Cara, saca só o que ela escreveu — pedia ajuda para o Thiago. — Ela está a fim ou não?

Nenhum namoro mais sério nasceu no aplicativo. Até porque Diogo estava decidido a não assumir nenhum relacionamento. Talvez porque, inconscientemente, ainda nutrisse a expectativa de reatar com Lívia, aposta feita por alguns amigos próximos. De resto, preferia aproveitar o que a repentina e anacrônica rotina de estudante solteiro tinha para lhe oferecer. Isso até que surgiu uma garota, oito anos mais nova, de quem Diogo começou a gostar para valer.

Fernanda Dusse era mineira de Belo Horizonte e havia chegado à Harvard na mesma época que Diogo para fazer um doutorado sanduíche em literatura comparada. Os dois haviam se visto algumas vezes durante o primeiro semestre do curso, mas só foram trocar algumas palavras no final de janeiro, durante uma reunião convocada para organizar a Brazil Conference daquele ano. Desta vez, o evento seria em abril. E o tema principal, renovação na política.

Fernanda estava na reunião com um amigo, o Léo, doutorando em ciências políticas. Passada a primeira hora de discussão, os dois entenderam que a proposta hegemônica no grupo, composto principalmente por jovens de centro-direita liberal patrocinados pela Fundação Lemann, era de conferir protagonismo a iniciativas apartidárias, que flertavam em diferentes momentos com a negação da política, como RenovaBR e Acredito, formadas majoritariamente por ex-alunos de Harvard que haviam cursado o mestrado na Kennedy School, quase sempre com bolsa da Fundação Lemann.

— Péra aí — Léo interrompeu. — Vocês não acham que está faltando chamar alguma liderança jovem que tenha optado pela política tradicional, nos partidos, para mostrar também o que está sendo feito para renovar a política dentro deles?

Diogo contemporizou.

— É que o RenovaBR e o Acredito são aqui de Harvard. É importante divulgar para o pessoal daqui poder se engajar.

Fernanda, que exercia alguma militância no PT de Minas, falou em defesa da proposta do Léo, já decepcionada com a posição do Diogo. Ela e o amigo insistiram, até que a conversa pendeu para um novo debate prioritário: Quem seriam as lideranças dos partidos tradicionais que poderiam ser chamadas. Era janeiro de 2018 e o nome sugerido foi o de Marielle Franco, uma jovem vereadora negra e bissexual do Rio de Janeiro, nascida no Complexo da Maré e vocacionada para a defesa dos Direitos Humanos, o repúdio à violência policial e a denúncia da truculência das milícias. Inscrita oficialmente para uma das mesas, Marielle seria assassinada a tiros no dia 14 de março, três semanas antes da Brazil Conference. Áurea Carolina, vereadora jovem e negra do PSOL de Belo Horizonte, iria substituí-la. Dois representantes do Novo também comporiam a mesa.

Após aquela discussão, Diogo encontrou Fernanda no Instagram, a adicionou e mandou uma mensagem:

— Fui o maior pelego hoje. Você estava certa.

Foi a primeira mensagem de muitas. Nas primeiras semanas, falavam de política e da organização da conferência. Encontravam-se nas reuniões.

Nos dias 6 e 7 de abril, quando a Brazil Conference aconteceu de fato, os dois já estavam juntos. Não era um namoro, propriamente dito, mas haviam começado a ficar, e os encontros começavam a caminhar na direção de algo mais orgânico, uma espécie de ficantes-fixos.

As datas se mostraram altamente simbólicas, extraordinariamente perversas. Às 17 horas da quinta-feira, dia 5, véspera do primeiro dia da conferência, o então juiz Sérgio Moro decretou a prisão do ex-presidente Lula e deu 24 horas para que ele se apresentasse na sede da Polícia Federal de São Paulo. A Brazil Conference teve início em clima de suspense.

— Vi essa notícia, me explica o que está acontecendo no Brasil! — pediam os colegas de outros países presentes ao evento. Uma resposta nada fácil de dar.

Naquela noite, Fernanda produzira às pressas um cartaz vermelho com a inscrição "Lula Livre" em tinta preta e, na manhã seguinte, dia 6, levou ao auditório onde se dariam os debates. Diogo não gostou muito do cartaz, talvez por ter achado chamativo demais, inadequado à formalidade que as autoridades confirmadas naquela edição da Brazil Conference inspiravam. Minutos depois, diante da chegada de uma delegação que incluía o ex-ministro Alexandre Padilha, a filósofa Djamila Ribeiro, o jurista Adilson Moreira e a médica e cineasta Helena Petta, o próprio Diogo abriu o cartaz diante do grupo para fazer uma fotografia.

No sábado fatídico, dia 7, Diogo assistia aos debates no auditório e, ao mesmo tempo, discretamente, acompanhava pelo celular o último pronunciamento do Lula - "os poderosos podem matar uma, duas ou três rosas, mas jamais conseguirão deter a chegada da primavera" - e os últimos instantes do cerco ao Sindicato dos Metalúrgicos de São Bernardo, de onde o ex-presidente sairia para se entregar. Foi uma barra.

Agora, mais do que nunca, Diogo sentia que era hora de terminar o curso e voltar ao Brasil. Havia muito a ser feito, inclusive disputar a opinião pública, denunciar a ilegalidade daquela prisão, explicar por que os rumos tomados pela Lava Jato eram absurdos (e perigosos) e, ao mesmo tempo, preparar programa de governo e definir a tônica da campanha eleitoral daquele ano, a mais difícil desde a redemocratização.

A formatura, a primeira de uma série de quatro cerimônias, aconteceu no dia 24 de maio. A prima Dani e o marido dela, Adilson, viajaram pela primeira vez para fora do país para passar uma semana com ele entre Nova York e Boston. Os filhos os acompanharam nos festejos. Diogo curtiu cada momento, cada etapa, cada liturgia. Precisou usar "roupa de Harry Potter", segundo a definição que lhe pareceu mais apropriada, referindo-se à beca. E, em determinado momento, tratou de estender uma bandeira do Brasil para a foto, com capa e capelo, e o brasão de Harvard ao fundo. O paraninfo foi o congressista veterano John Lewis, um dos grandes nomes da luta por direitos civis e contra a segregação racial nos Estados Unidos.

No dia seguinte, houve uma celebração específica dos formandos negros e negras, ocasião que encheu Diogo de emoção. Ali, em vez de entregar um canudo, os mestres de cerimônia presenteiam os alunos com uma faixa colorida, colocada sobre os ombros deles como se os coroassem reis ou lhes conferissem algum título de cavalaria.

Diogo contou parte do que sentia e parte dos seus planos em um textão, publicado dois dias depois no Facebook junto com uma foto dele e dos meninos na formatura. "O curso foi bem difícil, pelo menos para mim, e o volume de leituras e tarefas foi enorme", escreveu. "Fiz matérias relacionadas com coisas que eu já tinha feito na vida e me joguei para estudar coisas novas, ou pelo menos de um jeito novo. Políticas públicas e governo são o eixo do curso, mas, no geral, acabei estudando muita matemática, estatística, um pouco de finanças e uma coisa que eles chamam aqui de liderança, que incluiu um monte de coisa junta."

Adiante, na mesma mensagem, Diogo buscou valorizar a convivência que teve com pessoas de tantos lugares diferentes. "Estudei e conheci gente do mundo inteiro e isso foi incrível. É muito legal aprender sobre diferentes partes do mundo conversando com pessoas, e não somente lendo. Na minha turma, eram mais de 80 países e muita gente diferente. De um piloto de helicóptero do Exército Americano a um bailarino da Companhia de Balé de New York. Gente de governo, de banco, da área de tecnologia e mais seis brasileiros incríveis, com quem dividi as agruras do dia a dia e a tarefa de organizar a caipirinha, carinhosamente chamada de 'caperina' pelos nossos colegas."

Diogo não deixou de mencionar as aflições de ter de teorizar e conversar sobre tudo o que estava se passando na política brasileira. "Gastei uma parte grande do meu tempo por aqui tentando explicar como o Brasil retrocedeu tão rápido e de uma forma tão radical", escreveu. "No dia em que me formei, caminhoneiros paravam o Brasil, professores das escolas particulares de São Paulo estavam em greve, faltava gasolina nos postos e meus parentes estavam estocando comida. Lula, o principal líder da oposição está preso injustamente e, mesmo tendo mais de 30% nas pesquisas, há uma enorme pressão para que ele não dispute a eleição."

Sobre o futuro, anunciou em primeira mão o que faria quando retornasse para casa. "Conversar muito sobre o Brasil foi me dando uma vontade imensa de voltar. Uma vontade de fazer coisas novas, de ajudar a fazer as coisas melhores no país, de advogar (sonho antigo que tenho desde a faculdade). É exatamente isso que estou fazendo em junho. Recebi o convite para trabalhar no escritório VMCA, em São Paulo, e começo lá assim que voltar", revelou, referindo-se à banca liderada pelo velho amigo Vinícius Marques de Carvalho (a última letra do nome do escritório é a inicial de "Advogados").

"Essa volta a São Paulo será muito legal", reiterou Diogo. "Tenho para mim que as três coisas mais importantes da vida são: 1) realizar sonhos; 2) abraçar com força as pessoas que a gente ama; e 3) pisar com os próprios pés em lugares incríveis. Na última quinta-feira consegui fazer as três ao mesmo tempo e posso dizer para vocês que estou feliz." Outros sonhos, abraços e lugares incríveis viriam na volta ao Brasil.

20

A alegria é uma responsabilidade política

Faltava um mês para a eleição e os prognósticos não eram dos melhores. Após quatro anos sob ataque, o PT estava devastado. Sobrevivia, buscando estratégias para reunir a tropa e motivos para resistir. A democracia estava em risco. A esquerda (e, muito em breve, o Brasil), tal qual uma praça de guerra após o desfile vitorioso dos tanques inimigos. Ruínas e destroços preenchiam espaços que antes eram de construção e entusiasmo. Terra arrasada.

No jargão militarista, a estratégia de terra arrasada, ou terra queimada, consiste em destruir o terreno inimigo, eliminar tudo que possa colaborar com sua reconstrução. Rompem-se os diques para que falte água. Queimam-se as lavouras para que falte alimento. Implodem-se casas, escolas e hospitais para que não haja hipótese de abrigo, cura, superação. Aqui, num intervalo de poucos meses, uma força-tarefa de extensos tentáculos havia sido bem-sucedida na beligerante missão de salgar a terra. Uma presidenta cassada, um presidente condenado a mais de dez anos de prisão, e uma candidatura, francamente favorita, indeferida pelo Tribunal Superior Eleitoral.

De repente, as muitas conquistas amealhadas ao longo de 13 anos de governo de esquerda tinham sido suplantadas, na memória das pessoas, pela miríade de acusações perpetradas todos os dias nas capas das revistas, nas manchetes dos jornais e nas escaladas dos noticiários de TV. Assistia-se a uma sucessão de derrotas. Disseram "não vai ter golpe". O golpe aconteceu. Gritaram "não passarão". Passaram mil vezes. Entoaram "Lula livre". Lula continuaria preso. Arriscaram um "Fora, Temer". Nada houve que o arrancasse de lá. Agora muitos anunciavam que "Ele, não".

Mantida a tendência, Jair Bolsonaro, um deputado federal de extrema-direita, capitão reformado do Exército, orador populista com impulsos totalitários e quase trinta anos de baixíssima produção na Câmara, seria eleito presidente do Brasil. A quatro semanas do pleito, uma pesquisa divulgada pelo Datafolha, a primeira após o veto à candidatura de Lula, colocava Bolsonaro na frente, com 24% das intenções de votos. Fernando Haddad, substituindo o ex-presidente, amargava o quarto lugar, com 9%.

Diogo não se conformava. No Brasil desde junho, após dois anos e meio morando fora, o agora mestre em Administração Pública pela escola de governo de Harvard sentia como se lhe faltassem ferramentas acadêmicas, estatísticas e éticas para decifrar aquela situação. Como podia? Um candidato que chamava quilombolas de vagabundos e se referia a seu peso em arrobas. Um candidato que afirmava na televisão que, se pudesse, não pagaria às mulheres o mesmo salário recebido pelos homens. Que ofendeu uma deputada dizendo que só não a estupraria porque ela não merecia. Que se orgulhava por ter votado contra a extensão dos direitos trabalhistas para as empregadas domésticas. Que disse, certa vez, que preferia ter um filho morto do que encontrá-lo (aos beijos) com um bigodudo. Um candidato que idolatrava a ditadura e tinha no torturador Carlos Alberto Brilhante Ustra uma espécie de ídolo. E tudo isso tratado com relativa naturalidade pelas instituições, incluindo o STF, e pelas empresas de mídia.

Assolado por todas essas coisas, Diogo inventava a esperança. Tirava sabe-se lá de onde alguns gramas de ânimo, uma pitada de confiança. "Vamos virar!", decidia o torcedor do Corinthians, a mesma perseverança diante do 7x1.

A essa altura, Diogo estava pelejando para reorganizar a vida. Havia alugado um apartamento e estava advogando, pela primeira vez, no VMCA, o escritório especializado em direito concorrencial que tinha como sócio principal o amigo e compadre Vinícius de Carvalho, o mesmo com quem dividira a diretoria do XI no início da faculdade e que o indicara para integrar a liderança do PT no Senado em 2005. Vini fora secretário nacional de direito econômico entre 2011 e 2012 e presidente do Conselho Administrativo de Defesa Econômica (CADE) de 2012 a 2016. Agora, de volta à planície, trazia Diogo para trabalhar com ele – e, em breve, ser seu sócio – disposto a investir numa nova área dentro do escritório, voltada para os direitos sociais e coletivos, ambientais e humanos.

No fundo, Vinícius topou o risco. Ele não tinha muita certeza se o amigo queria realmente advogar ou se aquele desejo era fogo de palha, uma chama que se apagaria ao primeiro convite para trabalhar novamente no governo ou em alguma organização da sociedade civil.

Embora também tivesse um doutorado em Direito econômico, como Vinícius, Diogo havia se notabilizado muito mais pelas pautas de direitos humanos e sociais ao longo de sua carreira como gestor, de modo que, à primeira vista, o escritório do amigo não parecia uma escolha óbvia. No início, Diogo imaginava conciliar os dois ramos de atividade, atraindo clientes de ambos os tipos, e logo montou uma cartela modesta, sem nenhuma multinacional ou algo parecido, mas intensa o suficiente para mantê-lo ocupado.

Em pouco tempo, foi se convencendo de que sua *expertise* lhe permitia fundar uma área específica dentro do escritório, voltada para a sociedade civil organizada e o interesse social. No organograma do escritório, sua área foi batizada de Negócios de Impacto e Terceiro Setor (NITS).

Obviamente, aquela não era a área mais rentável do escritório. Se a atividade não chegava a ser *pro bono*, era bem verdade que os honorários cobrados das organizações do terceiro setor raramente alcançavam 50% dos valores cobrados das empresas no direito concorrencial. Para ser sustentável, a área precisaria crescer, de modo que Diogo dedicava boa parte do seu tempo a prospectar novos clientes. Em razão disso, muito do dia a dia da gestão dos clientes, da parte mais burocrática da rotina do escritório, acabava sobrando para Laura Arantes, a estagiária. Por outro lado, a cartela de clientes da NITS gerava grande empatia nos demais profissionais da casa. Os projetos tocados pelo Diogo pareciam trazer, invariavelmente, uma série de benefícios para a sociedade.

O cliente que mais capturava sua atenção e que mais o entusiasmava – embora oficialmente ele insistisse em dizer que não fazia diferença entre eles – era a Associação Nacional de Catadores e Catadoras de Materiais Recicláveis (ANCAT). Entre 2018 e 2019, Diogo tinha uma ideia fixa: tirar do papel um operador logístico, uma empresa que teria o condão de conectar catadores à indústria, em especial às firmas que precisavam cumprir normas de logística reversa ou que utilizam matéria-prima reciclada (como a Ambev). A intenção era multiplicar os contratos firmados com as cooperativas de catadores e conferir a esses trabalhadores mais oportunidades de remuneração. No dia em que finalmente deu certo, Diogo recebeu algumas lideranças da ANCAT no escritório. Para comemorar, serviu a bebida mais cara que encontrou na cozinha.

Faltando um mês para a eleição, Diogo pensava em cada uma das possibilidades de vitória e, como de costume, buscava projetar os efeitos de cada resultado sobre os mais pobres. Bastava para que ficasse muito apreensivo. Também ficava apreensivo ao pensar na importância de garantir algumas presenças indispensáveis no Poder Legislativo, num ano em que o total de cadeiras do PT e da esquerda fatalmente seria reduzido.

— Como eu posso ajudar? — ele perguntava às candidatas e candidatos, principalmente às mulheres jovens e negras em sua primeira corrida à Câmara dos Deputados ou às Assembleias Legislativas, empenhado em contribuir financeiramente ou prestar alguma consultoria informal.

Um dia, toca o telefone do Vinícius. Era o amigo e deputado federal Paulo Teixeira, candidato à reeleição.

— Vinícius, você libera o Diogo para ficar este último mês no meu comitê?

Adivinha? Havia aparecido uma campanha eleitoral para Diogo tocar e a previsão de Vinícius se concretizou: o amigo estava interessado em largar tudo, ainda que por um mês, para mergulhar na disputa. Mas, antes de aceitar, um telefonema para o chefe seria providencial.

Paulo Teixeira era, por assim dizer, amigo e candidato dos dois. Ambos tinham 20 e poucos anos quando se juntaram ao Garantia de Luta, o grupo político liderado por Paulo Teixeira, e desde então sempre deram um jeito de colaborar com suas campanhas. Desta vez, já na reta final, o candidato percebeu que todos os coordenadores e todos seus apoiadores estavam com o bloco na rua, cada um atuando numa região do estado, e nenhum deles queria ficar no comitê. Cumpriam expediente ali a equipe jurídica, a comunicação e o financeiro, mas nenhum coordenador tinha sido escalado para comandar o comitê. E havia pelo menos uma posição estratégica descoberta: a supervisão dos materiais de campanha. Quem iria mandar os materiais para a gráfica no tempo certo e cuidar de receber e distribuir aquele arsenal para cada bairro da capital e cada cidade do interior?

Diogo calçou as chuteiras - ok, isso foi apenas força de expressão - e assumiu a função como quem se voluntaria para catar no gol.

Durante dias seguidos, Diogo ficou enfurnado num andar sem mobília num predinho no Vale do Anhangabaú, coordenando a produção de material e a distribuição pelos diversos núcleos de apoio: quantos folhetos para Registro, quantas placas para Avaré, quantos adesivos para São Miguel Paulista e quantas praguinhas para Pirituba. Isso para não falar da engenharia georreferenciada das dobradas, como são chamadas as parcerias formadas com candidatas e candidatos à Assembleia Legislativa em cada região.

Quem não o conhecia era capaz de se surpreender com sua generosidade e sua disposição para desempenhar a tarefa que fosse necessária. Diogo havia acabado de chegar de um mestrado em Harvard, até recentemente tinha sido o segundo homem na linha sucessória de um ministro de Estado, e agora estava ali, num comitê improvisado, abrindo fardos de panfletos. Não havia tempo ruim para ele. Até havia - pessimismo na análise -, mas Diogo não perdia tempo com isso: o sol haveria de brilhar mais uma vez.

Liberado para ficar *full time* na campanha, desde que conseguisse administrar as tarefas que seus clientes demandassem nesse período, mesmo que remotamente, Diogo ampliou sua participação na campanha e logo sua influência se estendeu por toda a coordenação. Algumas reuniões eram marcadas às 22h30, 23 horas, em alguma padaria 24 horas, a fim de acertar as últimas pendências para um evento de militância, uma caminhada com os candidatos majoritários ou um jantar de arrecadação.

Naquele ano, Paulo Teixeira foi eleito com relativa segurança, o sexto entre oito deputados federais do PT que entraram em São Paulo. Mas, no cômputo geral da eleição, foi uma chapoletada. A representação dos partidos de esquerda no parlamento caiu em praticamente todos os estados, enquanto as bancadas de direita, sobretudo a bancada da bala e a bancada da bíblia, cresceram. Na disputa presidencial, Jair Bolsonaro acabou levando a melhor no segundo turno, com 55% dos votos, contra 47% de Fernando Haddad. Para o Poder Executivo, não poderia haver cenário pior.

Por tudo isso, 2019 começou como uma grande ressaca. Naquele primeiro de janeiro, não houve excursão para Brasília nem posse para assistir. Logo na primeira semana do ano, Diogo retomou a rotina no escritório.

As atividades com os catadores prosseguiam e a elas se somou uma série de novos desafios. Diogo cuidava da parte jurídica da Associação Brasileira de Mobilidade e Tecnologia (AMOBITEC), associação de empresas que prestam serviço de mobilidade por aplicativos e outras tecnologias, como a Uber e a 99. Também trabalhou para a Artigo 19, uma organização não governamental focada na defesa do direito à informação e da liberdade de expressão. E começou a se envolver muito intensamente com iniciativas nos campos da educação e da inovação aplicada à gestão pública, duas áreas que o escritório começava a explorar. Com o Instituto Arapyaú, por exemplo, ajudou a desenvolver um guia de como os municípios poderiam contratar inovações. Com o Instituto Sonho Grande, passou a trabalhar pela implementação de parcerias com os estados a fim de conseguir executar projetos voltados a aprimorar ou a implementar pela primeira vez o ensino integral em escolas públicas.

Diogo também passou a escrever com frequência. Sem o imperativo de entregar trabalhos e *papers*, livre dos prazos impostos pelas universidades e pelos programas de bolsa, Diogo canalizou parte de seu tempo e de sua energia à tarefa de transformar experiência em legado. Queria registrar, não tanto sua contribuição pessoal em temas como trabalho cooperado, coleta de resíduos, economia solidária e regulação do terceiro setor, mas a história do Brasil, das políticas públicas e da legislação brasileira nesses e em outros assuntos. A cada três ou quatro meses, colaborava com alguma publicação acadêmica ou veículo de comunicação.

Em dezembro de 2019, a revista *Indisciplinar*, da Escola de Arquitetura da Universidade Federal de Minas Gerais, publicou seu artigo "Saindo da invisibilidade: as lutas e conquistas dos catadores de materiais recicláveis entre 2001 e 2016". Em 7 de novembro de 2020, Diogo publicou na *Folha de S.Paulo* um artigo sobre a contribuição das empresas de economia digital, sobretudo as que operam por aplicativos de entrega ou de transporte, no sustento das famílias durante o período recente de retração do emprego e de avanço da COVID-19 no Brasil. "Empresas de tecnologia e aplicativos são agentes que criam renda", dizia o título. No dia 26 do mesmo mês, saiu no *Jota* um artigo seu sobre a proposta de novo marco legal para as *start-ups*: "Chance de ouro para inovação no Brasil". Com o ex-ministro dos Direitos Humanos, Paulo Vannuchi, havia terminado um artigo longo, com 15 páginas e viés acadêmico, nunca publicado: "Povo da rua nos governos Lula e Dilma". "Contar essa história", diz um trecho, "não é apenas descrever um conjunto de ações de governo, mas, principalmente, valorizar e preservar um método de governar, que combinou sensibilidade social, escuta constante e adaptação de linguagens para transformar demandas sociais prementes em instâncias de articulação eficientes."

Pela primeira vez de forma cotidiana, Diogo começou a lecionar na graduação. Assumiu uma cadeira como professor convidado no curso de Direito do Instituto Brasileiro de Ensino, Desenvolvimento e Pesquisa, o IDP, uma instituição privada com prestígio e docentes respeitados, como Gilmar Mendes, Gilberto Bercovici e Flávia Piovesan. Originalmente Instituto Brasiliense de Direito Público, o IDP instituíra sua primeira graduação em 2010, em Direito, e em dez anos havia expandido para outras áreas e disciplinas, como administração, economia, relações internacionais e ciências da computação, além de criar os programas de mestrado e de doutorado. Se, durante a pós-graduação, Diogo precisou viajar semanalmente de Brasília para São Paulo para cumprir créditos como aluno e pesquisador, agora ele se deslocaria no sentido inverso, de São Paulo para Brasília.

Havia, ainda, uma importante novidade a administrar que era a distância entre ele e as crianças, muito maior do que os 340 quilômetros, ou quatro horas de carro, que separavam Cambridge e Nova York. Gabi e Caetano moravam desde dezembro em Bogotá, na Colômbia. Uma viagem longa e cara, que Diogo não podia fazer com tanta frequência. Para conseguir manter visitas constantes, Diogo pegava o calendário, conferia todos os feriados prolongados do semestre e já reservava as passagens. No resto do ano, mantinha conversas diárias por Skype, jogava batalha naval à distância e montavam apresentações em PowerPoint com imagens de lugares que gostariam de conhecer juntos. Diogo também discutia com eles os estudos, as dúvidas da escola e as tarefas de casa. Uma vez, Caetano perguntou para o pai como haviam surgido as moedas e Diogo deu uma aula à distância.

Em Bogotá, levava os dois para passear no Parque Simón Bolívar, uma espécie de Parque Ibirapuera da cidade, e no Sky Zone, um parque *indoor* em que todo o chão é coberto por camas elásticas e onde se praticam diferentes modalidades de brincadeiras. Comprava hambúrguer e cachorro-quente, descobria onde comer churrasco, liberava salgadinho de pacote e videogame. Diogo também levava Gabi e Caetano para desbravar a cidade de bicicleta – isso depois de ensinar Caetano a andar sem rodinhas – e, uma vez, os levou para conhecer San Andrés, no Caribe.

Ao mesmo tempo, Diogo programava as visitas dos filhos a São Paulo. A hipótese de deixá-los crescer longe do Brasil simplesmente não existia. Ao contrário, Diogo teve a sensatez de programar passeios estratégicos que os pequenos não poderiam deixar de fazer: uma partida do Corinthians na arena, um samba de roda... e Carnaval!

Diogo parecia especialmente animado quando recebeu as crianças para o Carnaval de 2020. Ele queria levar os meninos para curtir os blocos, conhecer a folia de rua de São Paulo, uma festa que havia dobrado de tamanho e ganhado um baita prestígio durante a gestão de Fernando Haddad à frente da Prefeitura, entre 2013 e 2016. Havia um bloco, em especial, que Diogo frequentava e que o deixava especialmente animado. Era o Saia de Chita, formado anos antes por ex-alunos da São Francisco, a maioria ligada ao Ruptura ou ao grupo político que o sucedeu, o Fórum da Esquerda.

Um dos fundadores do Saia de Chita era o Guilherme Varella, que havia ingressado na Sanfran quando Diogo estava no último ano e que chegou a se candidatar à presidência do XI pelo Ruptura pouco depois. No bloco, Guilherme acumulava as funções de violonista, músico e arranjador. E, mais recentemente, havia inventado de fazer uma pesquisa de doutorado sobre direito à cidade tomando como base o próprio Carnaval. Quando os dois se encontravam, normalmente para jogar futebol, Diogo sempre perguntava ao amigo se ele estava arrumando tempo para tocar e se estava tudo certo com o bloco.

— Esse bloco é a tua maior contribuição para a sociedade — ele dizia. — Você pode fazer todo o resto mais ou menos, mas não pode descuidar do Carnaval. O resto a gente ajeita. Se você precisar de trampo, a gente arranja um trampo pra você. O teu foco tem que ser o Carnaval, põe isso na tua cabeça. Essa é tua maior responsabilidade. A gente precisa da festa, do samba na rua. A alegria é uma responsabilidade política.

Um dia, em dezembro de 2019, dois meses antes do Carnaval com Gabi e Caetano, Diogo foi ao aniversário de um amigo, numa casa com quintal, e começou a botar pilha no Guilherme e em outro músico do Saia de Chita, o Pedro: Juntos, eles teriam de organizar uma roda de samba. Não uma roda de brancos ou só com universitários, gente metida a intelectual que curtia músicos consagrados como Cartola e Paulinho da Viola e torcia o nariz para os grupos de pagode. Diogo se dizia cansado dessas rodas em que a galera microfonava tudo e cantava com a voz fraquinha, sem saber nada dos estilos, das origens, dos significados profundos das rodas.

Na roda que eles iriam produzir, a ideia era tocar de tudo, dos ícones da MPB à molecada da periferia que disputava espaço nos programas de auditório, dos sambas-enredos das escolas de samba de São Paulo e do Rio aos pagodes românticos dos anos 1990, que Diogo não hesitava em cantar nos karaokês. Intuitivamente, talvez quisesse reproduzir o ambiente das rodas em que seu pai e sua mãe haviam se conhecido, 40 e tantos anos antes, e reverenciar sua própria origem, filho do samba que era, literalmente. A regra de ouro era ser democrático. E todo mundo se divertir.

— A alegria é uma responsabilidade política — Diogo repetia.

A roda já nasceu com nome: Samba do Encontro. Diogo montou uma *playlist* no Spotify com todos os sambas que ia escutando e que lhe pareciam adequados para a roda. Quase todo dia, mandava uma música no grupo de WhatsApp e contava alguma história sobre ela, explicava por que aquela canção ou aquela pessoa tinha importância.

— Vai ter sempre aquele cara que vai chegar na roda e dizer: "toca aquela música do Cartola que fala 'deixe-me ir, preciso andar'" — ele comentava. — E aí eu vou levantar e vou corrigir o cara, dizer que essa música não é do Cartola, que ela é do Candeia e o que o Cartola só gravou. O Candeia é um injustiçado. A gente tem que dar o devido reconhecimento aos autores.

Diogo também mostrava algumas referências de roda. Mandava uns vídeos do Quintal dos Prettos, uma roda aberta, em que os músicos cantavam no gogó, com microfone apenas ambiente, e toda a galera cantava junto. Um dia, chegariam nesse estágio. Por fim, Diogo estava treinando tantã para poder participar da roda não apenas como entusiasta e cantor desafinado, mas também como instrumentista. E sempre botando pilha:

— E o Samba do Encontro? Ele precisa acontecer!

Terminado o Carnaval, Diogo colocou as crianças no avião de volta para a casa da mãe e, uma semana depois, tudo pareceu colapsar. Aeroportos foram fechados, companhias aéreas deixaram de operar, cidades inteiras foram esvaziadas após medidas restritivas de circulação e decretos municipais se sucediam a fim de estimular o isolamento social. "Fique em casa", "não aglomere", "use máscaras".

Era a pandemia da COVID-19, uma doença nova, tão imprevisível quanto letal, causada por um vírus que os especialistas e a imprensa passaram a chamar de novo coronavírus. A COVID pegou todo mundo no contrapé e deixou a vida em suspensão. Empresários do comércio fecharam suas lojas sem saber se ficariam parados por duas semanas, dois meses ou um ano. Escolas deixaram de receber alunos e as aulas tiveram de migrar para o ambiente remoto, transmitidas por videoconferência, o que intensificou desigualdades num país sem acesso universal a computadores e à internet. Um número gigantesco de crianças e jovens que dependiam da merenda escolar para comer a única refeição do dia somaram-se às estatísticas da insegurança alimentar e da fome.

As viagens a Bogotá foram canceladas por meses. Enquanto Lívia, Gabriela e Caetano isolaram-se em Bogotá, Diogo se isolou no apartamento que havia alugado no sexto andar do Edifício Pauliceia, um dos prédios mais conhecidos da Avenida Paulista, ícone do modernismo, tombado pelo patrimônio histórico estadual, ao lado da Faculdade Cásper Líbero, da TV Gazeta e do cinema Reserva Cultural. As janelas davam para os fundos, para a rua São Carlos do Pinhal, e delas se podia ver o Maksoud Plaza, um dos hotéis mais tradicionais de São Paulo (e que fecharia no ano seguinte).

Ali, Diogo morava meio de improviso, sozinho, numa casa quase sem mobília. Na cozinha, não havia fogão, nem panela, nem filtro de água ou bebedouro com galão. Diogo comprava água mineral em garrafa – e elas frequentemente acabavam. E, quando dizia para alguém que não cozinhava, definitivamente não era força de expressão. A infraestrutura se resumia a uma geladeira, onde guardava alguns ingredientes para lanches (além de latas de cerveja e Coca-Cola), uma mesa de trabalho não muito grande (onde passava o dia entre relatórios, processos, *lives* e reuniões por videoconferência) e uma televisão para acompanhar os jogos do Timão. A parada era tão minimalista, e até precária em tantos sentidos, que Gabi e Caetano apelidaram carinhosamente o apartamento de "casa maluca" quando o conheceram – isso depois de testemunharem uma panela cair sozinha, uma torneira parar de funcionar...

Quem tratou de comprar um filtro e levou uma cafeteira para lá foi a Fernanda, a garota de Harvard que estivera com Diogo na organização da Brazil Conference e que produzira um cartaz com Lula Livre para exibir na véspera da prisão. Ao longo de 2019, os dois haviam se encontrado algumas vezes, em São Paulo ou em Belo Horizonte, e foram construindo uma relação cada vez mais intensa, que prescindia de rótulos, mas que estava se transformando paulatinamente em namoro. Em janeiro de 2020, Diogo foi encontrá-la em Belo Horizonte e os dois foram até Inhotim, um parque-instalação em Brumadinho (MG) com ênfase em arte contemporânea e paisagismo.

Em março, um mês após o Carnaval com as crianças, Diogo queria passar o aniversário em Bogotá e não conseguiu. Não havia voos. Tentou um esquema para cruzar a fronteira pela Amazônia e também não rolou: as fronteiras terrestres estavam igualmente fechadas. Até o futebol de aniversário, uma tradição de décadas, precisou ser cancelado. Seguiram-se mais de seis meses de fronteiras fechadas, sem que ele pudesse encontrar os filhos pessoalmente, recorrendo a toda sorte de aplicativos de vídeo e jogos *on-line* para manter o contato diário. Nesse intervalo, Diogo acabou indo para Belo Horizonte e propôs a Fernanda que voltasse para São Paulo com ele. Se era para ficar em casa até aquela pandemia acabar, que pelo menos os dois se isolassem juntos e fizessem companhia um ao outro.

Estavam de fato namorando, mas o isolamento contribuiu para que praticamente ninguém ficasse sabendo. Diogo não conheceu ninguém da família da Fernanda; ela não conheceu ninguém da família dele. Na casa maluca, ele cumpria expediente na sala e ela dava aulas na cozinha. Nos fins de semana, faziam coisas ao ar livre, evitando aglomerações, e, uma vez, no meio do ano, ousaram subverter os protocolos e as recomendações sanitárias e se esbaldaram num samba até de madrugada.

Aos domingos, gostavam de alugar bicicletas na Avenida Paulista e sair pedalando pela cidade. Um dia, desceram até a Marginal do Pinheiros e pedalaram até a Capela do Socorro. Diogo quis mostrar a ela o lugar onde havia crescido. Também mostrou o canteiro de obras e as perspectivas ilustradas do apartamento que estava comprando na planta, no centro da cidade – um *loft* com churrasqueira no terraço, ideal para os dias de jogo do Corinthians, e que os filhos apelidaram de "o canto do guerreiro".

Diogo estava decidindo junto com Gabi cada detalhe do acabamento e da decoração desse apê. Conversavam quase diariamente sobre isso, trocavam plantas, perspectivas e sugestões. Aos 10 anos, ela dizia que queria ser arquiteta. Dois objetos, pelo menos, eles já haviam definido onde ficariam: um retrato do Lula e uma placa de rua com o nome da Marielle.

Diogo nutria grandes esperanças de que, após aquela temporada em Bogotá, Lívia topasse morar em São Paulo. A partir de 2023, talvez. A pandemia teria acabado, haveria um novo governo no Brasil – ninguém iria aguentar mais quatro anos daquele jeito – e Diogo poderia voltar a conviver mais com os filhos, talvez até diariamente. Nos planos de Diogo, seus filhos iriam estudar no Equipe, o mesmo colégio em que ele se formara e no qual fizera alguns de seus maiores amigos, como a Maíra Bühler, agora uma talentosa roteirista, a Isaura, o Tomás, o Diogo Moyses, agora um respeitado pesquisador e ativista em regulação dos meios de comunicação, e o Renato Bacchi, que era preparador físico da seleção brasileira de vôlei, campeã olímpica em 2016 e duas vezes vice-campeã mundial, e que há mais de dez anos morava em Florianópolis, desde que fora trabalhar com o Renan dal Zotto no Cimed Esporte Clube. Aliás, Renato tinha um filho chamado Bruno, de 5 anos, e havia se separado em 2018, pouco depois dele. Assim que as coisas melhorassem e a pandemia desse uma trégua, ele iria visitá-lo em Floripa.

Fernanda ouvia Diogo falar sobre os planos para os filhos e arriscava adverti-lo para o imponderável. Intuía que aquela programação poderia apresentar falhas, que era mais provável Lívia e as crianças se instalarem em Brasília, e não em São Paulo, e que talvez ele devesse se habituar à ideia dos voos quinzenais. Ou cogitar morar novamente em Brasília.

— E se o PT voltar à presidência, já pensou?

Nesse período de intimidades compartilhadas e grandes esperanças, havia algo mal resolvido: Diogo não falou para os filhos nem para a Lívia que a Fernanda existia.

Quando chegava uma chamada telefônica ou de vídeo de algum deles, diretamente de Bogotá, ela se afastava para deixá-los à vontade, mas principalmente para que sua presença não fosse notada. O casal havia feito uma visita ao Vinícius, mas publicamente eles ainda não existiam como casal. E, depois de seis meses morando juntos, aquilo começou a incomodar. Havia, ali, uma situação que se estendeu mais do que deveria e muito mais do que precisava.

Até que, em setembro, os voos foram retomados e Diogo pôde finalmente visitar as crianças. Desta vez, Lívia não precisou sair de casa. A relação dos dois havia evoluído para uma boa convivência, com zero intenção amorosa, e começava a apontar para uma possível amizade.

Com todo o trabalho adaptado ao ambiente remoto, Diogo pôde ficar por três meses em Bogotá, instalado num colchão de casal no quarto de brinquedos. Depois de tanto tempo sem encontrar os filhos, agora ele vivia momentos de êxtase. Toda manhã, Gabi e Caetano se levantavam cedo e corriam para encontrar o pai. Muitas vezes, ele já estava de pé e prestes a entrar na primeira reunião do dia. Com duas horas a menos de fuso do que no Brasil, uma reunião que começaria às 9 horas tinha início às 7 horas no relógio do Diogo. A partir das 17 horas, em compensação, ele estava liberado para fazer farra, tomar sorvete, andar de bicicleta ou ver séries com as crianças. Também curtia botar um som para dançar com os filhos, principalmente samba e *reggaeton*. A música preferida deles? *Coisinha do pai.*

Algo não mudou: Diogo continuava indo para a parte externa da casa para conversar com Fernanda. Antes da viagem, ele havia prometido a ela que contaria sobre o namoro para a Lívia assim que chegasse. Com o tempo, decidiria o melhor momento de contar para a Gabi e para o Caetano, mas para a Lívia era essencial que ele contasse. Aconteceu que os dias foram passando e ele não contou.

Fernanda sentiu a corda esgarçar. Não entendia por que ele não contava logo de uma vez e não estava disposta a continuar naquele esquema esquisito, em que ele precisava sair de casa para conversar com ela, como se aquele fosse um relacionamento extraconjugal. Ainda mais estando hospedado na casa da ex-mulher por três meses seguidos. Em determinado momento, em outubro, ela decidiu dar um tempo:

— Quando você voltar, a gente conversa.

Sob todos os aspectos, foi uma briga, não um rompimento. Mas o suficiente para que eles deixassem de se falar. Ficava oficialmente abortada, portanto, a viagem de carro para a Bahia que os dois planejavam fazer na virada do ano.

Diogo sentia-se pressionado. Continuava dizendo que ia contar e que pensava o tempo todo naquela viagem. Mas entendeu. E decidiu: ficaria em Bogotá até o Natal e iria para Floripa passar o *réveillon* com o Renato. O corpo estava pedindo uns dias na praia. E fazia muito tempo que ele não via o amigo.

21

Um último mergulho

— *Beach tennis*? Nem fodendo, cara. Eu sou um lixo. Nunca joguei.

— Porra, Dioguinho, joga uma partida com a gente para ver qual é.

— Relaxa, Renas. Joga aí com o John. Tô bem aqui.

Diogo não tinha do que reclamar. Ele estava de férias, numa praia maravilhosa, sem nenhum compromisso na agenda, tomando uma breja e brincando com o Bruno, de 5 anos, filho do Renato, seu amigo há quase três décadas. Melhor do que isso, só se rolasse uma bola. Mas uma bola de futebol, não de tênis de praia.

Esse lance de *beach tennis* não era com ele. Se fosse jogar, iria passar vergonha. E nem se divertiria tanto, ele acreditava. Renato Bacchi, sim, era um cara mais descolado, preparador físico formado em esporte, que transitava por todas as modalidades e mandava muito bem naquele troço. Até porque, sem exagero, aquela praia parecia dominada pelo tal *beach tennis*.

Jurerê é uma das praias mais badaladas de Florianópolis. Fica na porção norte da ilha, entre o Morro do Forte e a Praia de Canasvieiras, numa das regiões com melhor infraestrutura turística na cidade. Junto à orla, perfilam-se clubes famosos, como Serena e Café de La Musique, o que transforma a praia num *point* de famílias durante o dia e de azaração à noite. Diogo se lembrava de tudo isso, mas não dessa profusão de *beach tennis*, possivelmente algo mais recente, um movimento dos últimos quatro ou cinco anos.

Era impressionante. Bem onde ele estava, sentado na areia com o Bruninho e bebericando uma cerveja, havia duas quadras grudadas uma na outra. Mais adiante, uma terceira. Promotoras circulavam distribuindo folhetos com propagandas dos melhores clubes e dos melhores campeonatos. E, até onde sua vista alcançava, nada de futebol. Mesmo que ele insistisse, não havia espaço na areia para um bobinho ou uma altinha. Sendo assim, melhor continuar por ali, revolvendo a areia com o filho do amigo enquanto Renato jogava tênis de praia com Rodrigo, o John, outro amigo do Renato que tinha vindo passar aqueles dias no apê e que Diogo já conhecia do Craques de Sexta, o torneio de futebol que os veteranos do Equipe e de outros colégios seguiam promovendo na quadra do Vera.

Era dia 29 de dezembro, faltava pouco para 2020 acabar e Diogo não via a hora de comemorar o fim do pior ano dos últimos tempos. Os jornais computavam 195 mil mortes causadas pela COVID-19 desde março no Brasil – 18.570 somente naquele mês, indicando uma nova tendência de alta. Especialistas alertavam que o verão favorecia a disseminação do vírus e que uma nova cepa havia chegado ao país. Ou seja: 2021 começaria encrencado, mas pelo menos 2020 estava ficando para trás. E, depois de tantos meses confinado dentro de casa, na Paulista ou em Bogotá, Diogo sentia-se no direito de curtir sem culpa aqueles poucos dias de vida mansa. Não com grandes agitos. O que ele havia imaginado era exatamente aquilo: praia, churrasco, cerveja na varanda e tempo livre para botar o papo em dia.

Encontrar Renato era também uma forma de desanuviar, de tirar o foco da política e, principalmente, sair da bolha. Àquela altura, ele era um de seus poucos amigos íntimos que não era de esquerda nem votava no PT. De resto, o que existia era afinidade, companheirismo e muito respeito, nada a ver com discurso de ódio e com os exageros da polarização.

Sempre foi assim. Os dois passavam férias juntos com frequência, desde a adolescência. Com outros amigos do Ensino Médio – a Isu, o Diogão, o Diogo Moyses e o Thomás – Diogo e Renato mantinham um grupo de WhatsApp que funcionava como um porto seguro, um espaço de acolhimento, onde velhos camaradas podiam falar sobre qualquer assunto, desabafar, trocar ideias e pedir conselhos. E, com o Renato, Diogo mantinha sempre uma relação de afeto e cumplicidade. Não teve um contrato em toda sua vida profissional que Renato tenha assinado sem que Diogo passasse os olhos antes. E, de forma recíproca, Diogo procurava o amigo preparador físico de tempos em tempos, pedindo orientações:

— Tô gordo pra caralho, Renas — ele sempre o chamava de Renas. — Preciso fazer alguma atividade, algum exercício.

Agora, na reta de chegada de 2020, próximo à bandeirada final, Diogo parecia relaxado e feliz. Cada coisa no seu tempo. Em breve ele voltaria a São Paulo e trataria de conversar com Fernanda. Por enquanto, tudo o que ele queria era sossego. E, do jeito que a coisa ia, a escolha de ficar aqueles dias com o Renato e o Bruninho não poderia ter sido melhor. O menino ia passar a virada do ano com o pai, enquanto a mãe curtiria o *réveillon* com uma galera em Fernando de Noronha. Seria uma virada "família", prosaica, sem grandes aventuras ou intenções.

Naquela noite, por exemplo, apenas o John agitou um encontro e se mandou para uma balada. Renato foi com o Bruno jantar na casa de um vizinho do condomínio e Diogo quis ficar sozinho, lendo, numa boa. Bruno acabou dormindo no vizinho, que tinha uma filha da sua idade, de modo que Renato e Diogo puderam passar algumas horas juntos, noite adentro, jogando conversa fora na varanda do apê.

Na manhã seguinte, o dia estava apenas começando quando os três decidiram treinar. Renato tinha os principais aparelhos de ginástica em casa, de modo que um dos amigos se ajeitou na esteira, o outro na bicicleta ergométrica, e ficaram os três por ali, entre halteres e anilhas, contando as séries e as repetições. Por volta das 8 horas, toca o celular do Renato. Marcela, a ex, queria conversar com o filho. Converteram a ligação em chamada de vídeo.

— Onde você está, mamãe? Você está na Barra? Você voltou?

O menino reconheceu o cenário. Marcela contou que havia adiantado a volta de Noronha e que estava sozinha na casa que os pais dela tinham no canal da Barra da Lagoa, um curso de água salgada, não muito largo, pelo qual a água do mar entrava para encher a Lagoa da Conceição, no centro da ilha.

— Tô com saudade, mamãe. Vem para cá.

Marcela também estava com saudade. Renato assumiu o telefone e a convidou para ir tomar café com eles. Ela foi, ficou por um par de horas, matou a saudade do filho e partiu.

O dia 31 amanheceu chuvoso. Sem sol, sem praia. Somente a malhação matutina e o plano de irem todos juntos ao mercado para comprar os ingredientes da ceia. Perto da hora do almoço, Marcela telefonou para falar com o filho, uma rotina que tanto o pai quanto a mãe exerciam diariamente, desde sempre.

— Mamãe, a gente vai fazer uma ceia hoje, tipo a ceia de Natal — Bruno explicava. — Vai ser muito legal. A gente vai cozinhar. Por que você não vem ficar com a gente?

O telefone voltou para o Renato, que mais uma vez a convidou, com a aprovação dos amigos. Marcela aceitou o convite e se ofereceu para ajudar a preparar a comida. Em seguida, telefonou novamente e propôs uma alteração nos planos.

— Escuta, a casa aqui vai ficar vazia — contou. — Por que vocês quatro não vêm para cá?

A proposta era tentadora. Renato morava num apartamento modesto, alugado, no Itacorubi, um bairro central, longe da praia e da lagoa. A casa dos pais da Marcela, por sua vez, era grande, com uma jacuzzi no quintal, trapiche particular e espaço mais do que suficiente para bater uma bola. Muitos anos antes, o terreno havia comportado uma casa de pescadores, mas os pais da Marcela tinham reformado tudo, construído uma outra casa, moderna e espaçosa, com uma varanda cheia de redes e um gramado nos fundos.

Em menos de duas horas, o quarteto separou as roupas para passar a noite, fez todas as compras - Diogo escolheu sorvetes da Häagen Dazs para a sobremesa e fez questão de pagar o mercado, alegando que não tinha bancado nem uma cerveja nos últimos três dias - e desembarcou no Canal da Barra.

Foi uma tarde espetacular. Marcela já tinha feito o almoço. Renato instalou uma chopeira que havia ganhado de Natal e tomaram dois copos de chope cada um. Depois de comer, Diogo e John ocuparam a jacuzzi e passaram um par de horas ali, enquanto Renato e Bruno foram jogar bola e brincar, pai e filho, no gramado. Lá pelas 17 horas, os amigos se espalharam pelas redes e sofás e cochilaram por quase uma hora. Quando acordaram, Diogo, relaxado e sorridente, estirado na rede, fez uma chamada de vídeo para Bogotá, conversou brevemente com a Gabi, que estava vendo um filme, contou como estava legal na praia e combinou de repetir a ligação à meia-noite, para desejar feliz Ano Novo aos filhos. Em seguida, Marcela tratou de agitar o grupo:

— E aí?

Eram quase 19 horas e os rapazes precisavam tomar banho e começar a preparar o rango.

— Cara, vamos dar um último mergulho na água salgada para tirar a zica deste ano de merda — Renato propôs.

— Vamos, vamos — Diogo topou.

Bruninho também se animou: iam mergulhar à noite!

Os três pegaram uma toalha cada um, tiraram as camisetas e partiram em direção aos fundos da casa. John, que já estava de banho tomado, começaria a preparar o jantar enquanto isso. Tinha acabado de escurecer e as luzes do trapiche se acenderam automaticamente.

Pai e filho planejavam pular do alto do trapiche. Preocupado que a maré pudesse estar baixa demais, Diogo preferiu entrar na água aos poucos, pela rampa lateral, usada para o acesso de barcos e jet-skis. Solidário, Renato acompanhou o amigo a fim de ajudá-lo a mapear o melhor trajeto. Bruno ficou no trapiche. Assim que o pai estivesse a postos, o garoto pularia em seus braços.

Separando o trapiche e a rampa, havia uma espécie de tela de metal que cercava o *deck* e na qual havia um pequeno portão. Abaixo da grade, uma mureta de madeira ligava as palafitas. Apoiando-se nessa mureta, Renato avançou para dentro da água, indicando o caminho. Diogo foi atrás dele, testando o terreno aos poucos, esquivando-se do limo e desviando dos cascalhos e dos malditos mariscos agarrados no fundo, que o enchiam de aflição.

Em poucos minutos, Renato contornou o trapiche e postou-se de frente para a casa:

— Pula, filho. Pode pular.

Naquele instante, Renato olhou para o Diogo, que vinha descendo pela rampa, já com água até o meio da coxa, e teve a impressão de que o amigo havia se desequilibrado. Diogo segurava a grade com uma mão e logo se apoiou nela também com a outra.

— Pai, pai, o que está acontecendo com o tio Dioguinho? — o menino se agitou.

Renato olhou mais uma vez para a rampa e viu o amigo grudado na grade. Nadou até ele feito um foguete.

— Diogo, Diogo! — ele chamava, sem reação.

Chegou atônito e meteu um soco no quadril do amigo para que ele se soltasse da grade. Diogo despencou na água. Agora, Renato lutava para impedir que a cabeça de Diogo submergisse ao mesmo tempo em que buscava arrastar o amigo para a margem. Molhado, pesado e sem camisa, seu corpo estava escorregadio como um sabão. Bruno assistia a tudo, assustado. Faltavam alguns metros para vencer a rampa e a tarefa de conduzir o amigo desmaiado para a margem ficava ainda mais difícil à medida que as pedras e as conchas cortavam as solas de seus pés. Uma dor absurda, e Renato sem poder parar de lutar. Era o amigo que estava em risco. Era o Dioguinho, caralho.

— Johnnn! Johnnn! — gritou.

Tudo muito rápido, John correu para a água e levou um choque ao tocar o portão. Por certo havia algum centímetro desencapado na fiação que alimentava o sistema de iluminação do trapiche, acionado por fotocélula, e que passaria despercebido enquanto ninguém transitasse por ali à noite. De dia, nada havia de errado: sem luz, sem choque.

Surpreendido com a descarga elétrica, John também se desequilibrou e meteu o pé onde não devia. Agora eram dois com os pés ensanguentados tentando tirar o amigo da água.

Finalmente, conseguiram deitá-lo na grama. Renato improvisava uma massagem cardíaca ao mesmo tempo em que chacoalhava Diogo e chamava a ex-mulher, enfermeira profissional.

— Filho, corre lá e chama a mamãe. Vai rápido! Marcelaaaa!

O menino voou. Marcela chegou assustada.

— O que houve? O que houve? Meu Deus, o que aconteceu? Bruno, vai lá para dentro! Espera que daqui a pouco eu vou.

Renato tentava contar como tudo havia acontecido, aos trancos, sem parar de empurrar o peito do amigo em movimentos ritmados. John ligou para o SAMU. Marcela e Renato tentavam fazer com que Diogo reagisse.

— Diogo, Diogo! Fica aqui, Diogo!

Dentro de casa, Bruno berrava, aos prantos.

— O que aconteceu com o tio Dioguinho?

A ambulância chegou em menos de meia hora. O quintal se encheu de curiosos. Gente da vizinhança havia deixado seus churrascos, suas reuniões de família, para ver o que estava acontecendo naquela casa e investigar o motivo de tamanha gritaria. Em seguida, chegou a polícia. Havia sangue no chão da varanda, da cozinha e da sala. O sangue dos pés machucados de John e Renato.

Um pesadelo, um filme de terror. Ao todo, quase três horas de pânico.

Os paramédicos ficaram 50 minutos ao redor do Diogo, tentando reanimá-lo. Usaram o desfibrilador, intubaram, extubaram e nada. Tentaram meia dúzia de equipamentos diferentes, fizeram o diabo.

Eram 22 horas do último dia do ano quando cobriram Diogo com um lençol.

22

Diogo, presente!

As primeiras notas, os primeiros *posts*, as primeiras mensagens começaram a circular perto da meia-noite e atingiram em cheio quem se preparava para celebrar a chegada de 2021. Como assim? O Diogo?

Um ano terrível como aquele, de clausura e pandemia, destruição e desgoverno, havia guardado para os últimos minutos a mais trágica das notícias, a mais chocante: não bastassem todas as mortes causadas por COVID e negligência do Estado desde março daquele ano, 2020 havia levado embora também o menino do Socorro – o menino da Carminha, o menino do Equipe, o cara da Sanfran, do Ruptura, do XI, do DCE, o companheiro do PT, do Gil, do futebol no Vera, da SG, dos catadores, o amigo da Columbia e de Harvard, o bamba do Samba do Encontro. Que ano filho da puta!

Ninguém se conformava nem poderia se conformar. Diogo tinha 41 anos. Uma morte besta, um acidente inacreditável, uma fatalidade. Quando os paramédicos recolheram os equipamentos, por volta das 22 horas, a casa do Canal havia se transformado no lugar mais triste do mundo. Ao longo de duas horas, todos ali haviam se lançado numa batalha épica, e lutado com todas as forças, e superado todas as barreiras, e jamais deixado de acreditar que era possível. "Porra, que susto você deu na gente, Dioguinho", eles lembrariam de manhã, com os pés enfaixados e os corpos exaustos. Constatado o óbito, como seguir adiante? Como contar? O que fazer?

Uma corrente virtual de solidariedade começou a se formar ali mesmo, àquela hora. Renato, aos prantos, ligou para o Diogo Moyses, que ligou para a Isu e para o Vini. A Isu ligou para o Renato e tomou o primeiro voo para Floripa, logo cedo, junto com o irmão dele, o Carlo. O Vini ligou para a Lívia, que encontrou forças sabe-se lá onde para, em Bogotá, lidar com o impacto daquela notícia e contar para os filhos. Fernanda ficou sabendo pelas redes sociais.

Uma enxurrada de homenagens começou a inundar as redes sociais de madrugada e encheu de fotografias e palavras de carinho a linha do tempo de muita gente no primeiro dia de 2021. Imagens do Diogo criança, imagens do boleiro e do sambista, imagens de zilhões de atividades políticas, uma porção de *selfies* feitas ao lado de amigas, amigos e autoridades. Bilhetes, recados, saudades, queixas, mensagens encorajadoras, e muito textão. A ex-presidenta Dilma Rousseff esteve entre os que registraram a notícia.

A morte do companheiro Diogo de Sant'Ana priva o Brasil de um dedicado militante da causa dos direitos humanos e um brilhante advogado.

Diogo trabalhou no governo Lula e, comigo, na Secretaria-Geral do Governo. Atualmente, atuava nos Núcleos de Acompanhamento de Políticas Públicas da Fundação Perseu Abramo.

Era indispensável, pela sua competência, cultura, dignidade e generosidade. Sua morte trágica, ainda tão jovem, entristece a todos nós, que tivemos o privilégio de conviver com ele. Apesar da brevidade de sua vida, brilhou como uma estrela e lutou bravamente por justiça social e por um futuro melhor para o nosso país.

Meu profundo sentimento de pesar à Lívia, aos seus filhos Gabriela e Caetano, aos amigos e familiares.

O ex-presidente Lula, também:

Diogo de Sant'Ana era um advogado brilhante e uma pessoa comprometida com um Brasil melhor, mais justo, humano e solidário. Foi do Centro Acadêmico XI de Agosto, mestre em Administração Pública por Harvard, Doutor em Direito pela USP, assessor da Presidência da República e secretário executivo da Secretaria-Geral do Governo Federal, ajudando na formatação de muitas leis e ações para o fortalecimento da democracia e justiça social em nosso país, nunca perdendo nos seus estudos e atuação profissional o compromisso com os mais pobres, os que mais precisam do Estado. Era professor e parceiro do Movimento Nacional de Catadores de Materiais Recicláveis.

O nosso futuro perde uma pessoa com inteligência, conhecimento, ética e comprometimento com as causas sociais, com um Brasil que precisamos reencontrar nesses tempos difíceis. Meu abraço solidário e meus sentimentos aos filhos, familiares, amigos e alunos de Diogo de Sant'Ana.

Luiz Inácio Lula da Silva

Na manhã de domingo, 3 de janeiro, um mundaréu de gente encheu o Cemitério Gethsêmani, no Morumbi, em São Paulo, onde Diogo seria enterrado ao lado de sua mãe. Muitos embarcaram às pressas, em Brasília, no Rio, em Salvador ou Florianópolis, para se despedir. Havia um corredor, muito comprido, tomado por coroas de flores de ambos os lados. Outros arranjos tomavam os jardins. Pessoas que o conheceram em diferentes lugares do mundo, em diferentes realidades e com propósitos diversos, encontravam-se ali, pela primeira vez, e iam tecendo uma colcha de experiências, um bordado imenso com tudo que o Diogo havia feito e representado nas diferentes frentes em que se envolveu. Um catador se pronunciou. Lívia e Gabi, também.

Músicos começaram a chegar, com rebolo, repique, tantã e pandeiro e, exatamente como no funeral da Carminha, 18 anos antes, a magia aconteceu. De repente, ninguém ia embora. Velório de sambista é gurufim, ensina a tradição. Beber o morto, lembrar as histórias, sobretudo os tropeços, gargalhar e cantar na derradeira despedida. A despeito da dor, apesar da COVID e da recomendação de isolamento, com máscaras e cuidados, era preciso celebrar com música não a morte, mas a vida do Diogo.

Quero chorar o seu choro
Quero sorrir seu sorriso
Valeu por você existir, amigo...

Em Brasília, no mesmo domingo, amigas e amigos se reuniram na Prainha, à beira do Lago Paranoá. Deixaram flores e soltaram balões. Diogo, presente!

Nos dias que se seguiram, os encontros continuaram no ambiente digital. Numa feliz substituição à missa de sétimo dia, desaconselhada em tempos de pandemia, Gilberto Carvalho mediou três horas e meia de uma *live* em homenagem ao Diogo na tarde de 6 de janeiro. Foram mais de 30 depoimentos, emocionados e emocionantes, que buscaram cobrir cada faceta e cada etapa de uma rica cronologia. Padre Júlio Lancellotti destacou a capacidade de resistência do Diogo, sua disposição para se colocar na linha de frente e enfrentar grandes desafios, sabendo o quanto era difícil a luta que ele travava. A prima Danielle, representando a família Sant'Ana, falou do orgulho que todos em sua casa sentiam de ver Diogo ir tão longe, trabalhando no Palácio, formando-se em Harvard. O Diogo Moyses falou do Equipe, o Mario Schapiro falou do movimento estudantil, a Ana Túlia Macedo leu um trecho da mensagem que Diogo deixou para os colegas do Noturno Ímpar da Sanfran por ocasião da formatura, em 2002:

Sempre estivemos presentes nos fatos mais importantes. E o diálogo, as discordâncias e a mobilização nunca impediram que fôssemos amigos e solidários uns com os outros. Pelo contrário, acredito que esse espírito questionador foi o que nos uniu. Nunca esquecerei de cada pessoa com a qual convivi nesses anos e espero ver repetir na sociedade o mesmo ímpeto pelo qual vivemos na faculdade.

Almir Sanches falou de futebol. Lívia contou do namoro, do casamento e do nascimento dos filhos, e do pacto que fizeram, já divorciados, quando todos fomos atravessados pelo coronavírus e o que ele significava antes do advento da vacina: "a gente não vai pegar esse negócio; a gente não vai morrer". Fábio Faria, o irmão que Diogo conheceu adulto, narrou seu encontro tardio com o pai e a generosa relação que conseguiram construir. Em seguida, os depoimentos entraram mais fortemente na política e chegaram a Brasília. Paulo Teixeira, Maria Victoria Hernandez, Eduardo Suplicy... Laís Figueredo Lopes listou sete características muito fortes da personalidade do Diogo, entre elas: compromisso, criatividade e inovação. Silas Cardoso, Juliana Bueno, Ideli Salvati... Felipe Freitas lembrou o tanto que Diogo, como negro de pele clara, ficava incomodado quando não era chamado para as reuniões de negros e negras do alto escalão do governo, um reflexo do racismo estrutural e dos efeitos do colorismo na sociedade brasileira. E lembrou de como aprendeu com ele a valorizar ações simbólicas e a comemorar conquistas como a recepção das populações mais vulneráveis no salão nobre do Palácio do Planalto.

Na sequência, as amizades surgidas no exterior, como a *roommate* Ana Galli e a namorada Fernanda Dusse, a paixão pelo Corinthians representada por Ricardo Leite Ribeiro, o Samba do Encontro no relato de Guilherme Varella e o ativismo recente pela liberdade de expressão na figura de Denise Dora, da Artigo 19. Claudete Costa, presidenta da Unicatadores, falou em nome das cooperativas de reciclagem para reafirmar o reconhecimento do compromisso que Diogo sempre demonstrou com a categoria. Por fim, o cotidiano do advogado Diogo no escritório, pelas vozes da ex-estagiária Laura Arantes e do sócio – e irmão – Vinícius de Carvalho.

Dois outros encontros virtuais aconteceram ainda em janeiro, um da turma do Ruptura e outro com o pessoal da Secretaria-Geral da Presidência. Em todos eles, a mesma sinergia, a mesma troca, a mesma inspiração.

Ainda em 2021, Diogo virou patrono de dois programas de bolsas de estudo, um no IDP e outro na São Francisco, ambos com o objetivo de viabilizar ou estimular o acesso de pessoas negras à pós-graduação. No Programa Diogo de Sant'Ana de Bolsas em Ações Afirmativas, da pós-graduação *stricto sensu* em Direito do IDP, as vagas são direcionadas a pessoas negras ou trans e todos os alunos contemplados têm isenção total na matrícula e nas mensalidades. Já a Bolsa Diogo de Sant'Ana, mantida pelo Projeto de Promoção à Dedicação Acadêmica (PPDA) da Faculdade de Direito da USP, oferece auxílio financeiro mensal, orientação de mentores, oficinas quinzenais e curso de inglês para pessoas negras e de baixa renda dispostas a pesquisar temas relacionados à superação da pobreza e das desigualdades.

Em 7 de outubro, o ex-presidente Lula visitou o Complexo Integrado de Reciclagem do Distrito Federal, um amplo galpão de 80 mil metros quadrados inaugurado em dezembro de 2020 após mais de dez anos de burocracia e obras. Administrado pela Central de Cooperativas de Materiais Recicláveis do Distrito Federal (CENTCOOP), que reúne 21 cooperativas, o complexo tem capacidade para reciclar 5 mil toneladas de material por mês e emprega 450 cooperados em dois turnos. Foi construído com recursos que Diogo conseguiu junto ao BNDES e só pôde ser viabilizado graças às contribuições que ele e a equipe da Secretaria-Geral ousaram incorporar à Política Nacional de Resíduos e à legislação específica sobre reciclagem. Como reconhecimento pelo compromisso empenhado, um dos centros de triagem de resíduos do complexo foi batizado com o nome de Diogo de Sant'Ana. A placa foi fixada na presença de Lula, que, de máscara vermelha, posou para foto segurando um pequeno cartaz em sua homenagem: "Diogo de Sant'Ana presente sempre".

Em dezembro, Lívia e as crianças voltaram ao Brasil, após um semestre em Nova York, para se fixar indefinidamente em Brasília depois de seis anos fora do país. A intuição de Fernanda se confirmara – ao menos até que uma nova missão internacional ou uma repentina mudança de planos venha a engendrar outra troca de cidades.

Em março de 2022, no sábado em que Diogo completaria 43 anos, a primeira edição presencial do Samba do Encontro levou centenas de amigos do Diogo à Casa da Cidade, em São Paulo. Um ano antes, o Brasil vivendo o auge dos contágios e das mortes por COVID e sem previsão de queda, a roda de samba idealizada por Diogo acontecera por videoconferência: cada música executada num ponto do mundo, por um ou dois bambas, ao longo de uma hora e meia de congraçamento e memórias, algumas lágrimas e muita saudade. Agora, o clima foi de festa e aglomeração. A cozinha mandou o recado no fundo do quintal e, ao longo de seis horas de batucada ininterrupta, a alegria se fez na Vila Madalena. "A alegria é uma responsabilidade política", dizia o letreiro gravado no muro.

Concebido às vésperas da roda, o hino do Samba do Encontro estreou ali:

[...] Risco no céu
Uma estrela vermelha
Farol que pra sempre ilumina
Deixo minha vida num samba pro povo cantar

Samba do encontro
Marca esse ponto
Sorriso no rosto
gostoso da gente mostrar

É simpatia
E nossa guia
De agora em diante
o samba é o nosso lugar

Diogo teria gostado de participar daquela farra, de estar entre os seus, de abraçar toda essa gente que foi lá celebrar com ele. Chegaria com as crianças, uma em cada mão, calibraria o motor com duas ou três latinhas geladas e assumiria seu posto de regente ao lado dos músicos. Não deixaria a festa acabar antes que o sol raiasse. E, se porventura esse absurdo viesse a acontecer, emendaria em outro bar, e mais outro, mantendo a tradição de jamais se render.

Diogo teria gostado, também, da festa que tomou o país sete meses depois, no dia em que Lula derrotou Bolsonaro nas urnas. A verdade havia vencido a mentira. A esperança havia vencido o medo mais uma vez. A convergência de divergentes havia conseguido superar os antagônicos, como ele sempre apregoara, remedando Paulo Freire. Em pouco tempo, o país sairia da UTI, a intolerância seria dissipada e a democracia voltaria a respirar sem a ajuda de aparelhos.

Em primeiro de janeiro de 2023, vinte anos após a primeira posse do Lula, a Esplanada dos Ministérios voltou a se tingir de vermelho. Bolsonaro não esperou para recepcioná-lo, preferindo fugir para os Estados Unidos dois dias antes. Na hora da transmissão da faixa presidencial, foi o Brasil que subiu a rampa com o novo presidente. Um cacique indígena, uma criança, uma pessoa com deficiência, um idoso... a faixa passou de mão em mão até que Aline Souza, mulher negra de cabelo trançado, catadora desde os 14 anos, presidenta da CENTCOOP, amiga e companheira com quem Diogo tanto havia batalhado, a colocou nos ombros de Lula.

Em homenagem a Diogo de Sant'Ana, segundo a mestra de cerimônia, um dos primeiros despachos assinados por Lula, ainda no dia primeiro, determinou que o ministro-chefe da Secretaria-Geral da Presidência, Márcio Macêdo, elaborasse propostas de recriação do Pró-Catador, projeto lançado inicialmente em 2010, com forte participação do Diogo, para fomentar e incentivar atividades desenvolvidas por catadores de materiais recicláveis.

No dia 3 de janeiro, Paulo Teixeira e Vinícius de Carvalho tomaram posse como ministros: o primeiro, de manhã, no Ministério do Desenvolvimento Agrário e Agricultura Familiar (MDA), e o segundo, à tarde, na Controladoria-Geral da União (CGU). Os dois mencionaram Diogo em seus discursos. Paulo Teixeira convidou a gestora pública Fernanda Machiavelli, que havia sido chefe de gabinete do Diogo na Secretaria-Geral da Presidência, dez anos antes, para assumir a função de secretária executiva na pasta. Ainda durante o discurso de posse, pediu a ela, de improviso, que colocasse num papel, como uma "cola", a frase que Diogo costumava repetir, como um mantra, diante dos muitos desafios e da agenda sempre cheia.

— Cada dia que passa é um dia a menos para transformar a vida do povo mais pobre do nosso país — leu o ministro, irmanado no mesmo senso de urgência.

Vinícius, por sua vez, encerrou sua fala dirigindo-se a Gabi, sentada na primeira fila:

— Gabi, eu, como seu padrinho, irmão do seu pai, queria agradecer muito a sua presença — ele disse. — E dizer que o Diogo de Sant'Ana, muitas pessoas aqui talvez não o conheçam, ele aparece como mensagem, como imagem, como força e como energia em vários momentos durante esse período todo. Ele apareceu na fala do presidente Lula, quando se referiu à política de catadores. Ele apareceu hoje no discurso do Paulo Teixeira, que roubou minha citação. Diogo dizia que cada dia a mais no governo era um dia a menos para nós resolvermos os problemas graves da população brasileira. E o Diogo era uma pessoa que se dedicava imensamente aos pobres e às pessoas mais humildes deste país. É um grande irmão que se foi, mas que está sempre aqui.

Após uma breve menção ao acidente que vitimou Diogo em 31 de dezembro de 2020, Vinícius concluiu:

— Todos os valores do Diogo, todos os princípios que o Diogo sempre defendeu, vão estar presentes no dia a dia da minha atuação como ministro da CGU.

Finalmente, em 13 de fevereiro de 2023, apenas 43 dias após a posse de Lula, catadoras e catadores voltaram a ocupar o salão nobre do Palácio do Planalto para prestigiar a assinatura do decreto presidencial que instituiu a volta do Programa Pró-Catador, conforme orientação feita em primeiro de janeiro. Representando a categoria, Roberto Rocha, presidente da Associação Nacional de Catadores e Catadoras de Materiais Recicláveis (ANCAT), e Ivanilda

Gomes, presidenta da Cooperativa dos Catadores da Vila Emater (CoopVila), inauguraram a tribuna para lembrar que havia cerca de 800 mil catadores no Brasil e que esses profissionais deveriam ser vistos como agentes ambientais. Ladeados por uma dezena de ministros de Estado, o vice-presidente Geraldo Alckmim, a ex-presidenta Dilma Rousseff e o presidente Lula, ressaltaram que a coleta seletiva, a reciclagem e a logística reversa são passos indispensáveis na construção do futuro e que olhar para esses agentes ambientais é uma forma de cuidar do planeta. Márcio Macedo, ministro-chefe da Secretaria-Geral da Presidência, e Marina Silva, ministra do Meio Ambiente, falaram depois.

A nova temporada do programa recebeu o nome de Programa Diogo de Sant'Ana Pró-Catadoras e Catadores para a Reciclagem Popular. Fotografias de Diogo foram exibidas no telão, entremeadas com depoimentos em vídeo gravados por Lívia, a catadora Aline Souza e o ex-ministro Gilberto Carvalho. Aline, a mesma que vestira a faixa no presidente semanas antes, entregou um livro, uma escultura em forma de flor feita com material reciclado e uma placa com o selo "amigos dos catadores" a Gabi e Caetano. Sabendo da homenagem ao pai, o caçula quis ir ao palácio com a camisa do Corinthians.

"Uma pessoa que tinha o coração do tamanho do coração do Diogo não morre nunca", discursou o presidente Lula. "Pode ter certeza de que as ideias do Diogo e os ideais do Diogo estão perambulando aí na cabeça de cada catador e cada catadora de material."

Por fim, Lula deixou um recado, uma sugestão para quem o escutava naquele momento, da plateia ou por meio dos canais e das páginas digitais que transmitiam a cerimônia:

"Toda vez que algum companheiro estiver fragilizado, toda vez que algum companheiro sentir que as coisas não estão dando certo, em vez de desistir, pense no Diogo, e ganhe a energia necessária para vocês continuarem trabalhando como vocês vêm trabalhando".

23

Este livro

Este livro começou a ser escrito em maio de 2021, quando Marcos Barreto, Diogo Moyses, Vinícius de Carvalho e Lívia Sobota me procuraram com a primeira ideia de registrar a trajetória do Diogo numa obra literária. Eu havia trabalhado com ele na campanha eleitoral de 2018 e o encontrara algumas vezes, em situações e ambientes diversos, sobretudo a partir de 2015. Como todos que o conheciam, fiquei em choque ao receber a terrível notícia que chegou na virada do ano.

Levei algumas semanas para confirmar a reunião e, apesar da adesão imediata, mais alguns meses para tirar tarefas da frente e terminar outro livro que estava tocando. Acreditei que seria possível terminar em seis meses, depois de entrevistar dez ou quinze pessoas, e prometi que o livro seria lançado no dia do seu aniversário, junto com o Samba do Encontro, na Casa da Cidade. Caí do cavalo. Notei que havia subestimado a multiplicidade de temas e a complexidade da história daquele rapaz quando a lista de pessoas entrevistadas passou do trigésimo nome. Nessa toada, eu levaria o dobro do tempo. E foi o que aconteceu. Se alguém me dissesse que Diogo fez tudo o que fez em apenas 41 anos, eu diria que é mentira, pura desinformação. Não cabe. Não faz sentido.

Hesitei algumas vezes no início do percurso, convencido de que o Diogo merecia um autor mais disciplinado, ou pelo menos que pudesse se dedicar em tempo integral ao honroso ofício de investigá-lo, decifrá-lo e traduzi-lo. Nessas horas, respirava fundo e lembrava que Diogo já tinha elogiado coisas que eu havia escrito, estivera em pelo menos um lançamento de livro meu e, em 28 de dezembro de 2020, me enviara uma mensagem de WhatsApp para contar que estava gostando de ouvir um *podcast* que eu havia feito, a partir de outro livro meu, sobre morte e ocultação de cadáveres numa vala clandestina da ditadura. Isso me tranquilizava. Talvez, se estivesse aqui, Diogo concordaria que eu tocasse o projeto, apesar da intermitência e do atraso. Que bom, porque foi incrível a jornada de conhecê-lo. Diogo, você nem imagina quantas noites passamos juntos!

Este livro não teria sido possível sem os muitos apoios que recebemos. Falo isso em meu nome e em nome dos quatro amigos do Diogo que primeiro se juntaram em torno do impulso de publicar essa história: Marcos, Diogo

Moyses, Lívia e Vinícius. Agradeço, em primeiro lugar, aos companheiros da Fundação Perseu Abramo – nas pessoas de seu presidente em 2022, Aloizio Mercadante, ao atual presidente Paulo Okamotto e do editor, Rogério Chaves – e da Autonomia Literária, na pessoa de seu editor, Cauê Ameni. Juntas, as duas editoras se propuseram a publicar e comercializar esta obra. Agradeço também a cada um dos que dedicaram parte do seu tempo a responder minhas perguntas, sanar minhas dúvidas e orientar os passos seguintes. Foram 47 horas gravadas de conversas, quase tudo transcrito por William Alberto Brusarosco, a quem também agradeço. Listo, a seguir, as 57 pessoas entrevistadas, em ordem alfabética, com medo de esquecer nomes e cometer injustiças:

Ademir Picanço de Figueiredo, Albertina Duarte Takiuti, Aldo Zaiden, Aloizio Mercadante, Bruno Bacile, Carlos Zarattini, Carolina Stuchi, Catarina Guarnieri Silvério, Clara Sá, Claudete Costa, Daize Sant'Anna, Danielle Bova, Darcy Fernandes, Diogo Matheus, Diogo Moyses, Dione Manetti, Eduardo Salgado, Fábio Donizetti Borges Faria, Fábio Sá e Silva, Felipe Freitas, Felipe Pierrobon, Fernanda Dusse, Fernanda Machiaveli, Fernanda Papa, Fernando Rugitsky, Gabriel Di Pierro, Gilberto Carvalho, Guilherme Varella, Isaura Sandroni, Joana Zylbersztajn, José Maria Giroldo, Laís de Figueirêdo Lopes, Laura Benda, Laura Arantes, Lúcia Del Picchia, Lívia Sobota, Maíra Bühler, Marcos Barreto, Maria Victoria Hernandez, Marina Bragante, Mario Schapiro, Otavio Balsadi, Paulo Pastorelo, Paulo Teixeira, Paulo Vannuchi, Pedro Abramovay, Ricardo Lobo, Renato Bacchi, Roberto da Rocha, Rogério Sottili, Silas Cardoso, Simão Pedro, Tião Santos, Thiago Lamelo, Tomás Vieira, Vera Cotrim, Vinícius Marques de Carvalho.

Finalmente, este projeto também não teria saído do papel – o que, neste caso, significaria não vir para o papel – sem a adesão das 169 pessoas que participaram da campanha de financiamento coletivo e garantiram sua viabilidade econômica, da pesquisa à impressão. São elas, também em ordem alfabética:

Ademir Picanço de Figueiredo, Adriana de Araújo Sobota, Alamiro Velludo Salvador Netto, Aldo Zaiden, Alexandre Saes, Alessandro Ferreira dos Passos, Alessandro Soares, Alice Mieko Yamaguchi, Aline Gonçalves de Souza, Aline Viotto, Amanda Vannuchi, Amanda Soldani, Ana Flavia Cascão, Ana Túlia Macedo, Anaí Arantes Rodrigues, André Kwak, André Leonardi, Andrea Martins, Andrea Oncala, Anita Pissolito Campos, Antonio de Oliveira Leite Biondi, Arlete Moyses Rodrigues, Arthur Badin, Bianca Tavolari, Bruno Gaspar, Bruno Lupion, Bruno Salles, Camila Torres, Carla de Paiva Bezerra, Carlos Frederico Ramos de Jesus, Carlos Henrique Uehara, Carô Gimenez, Carolina Stuchi, Catarina Guarnieri Silvério, Cecilia Santana, Cesar Carrijo,

Cezar Santos Alvarez, Clara de Sá, Clarice Costa Calixto, Claudio D. D. Gomez, Cris Nunes, Cristiana Lapa Wanderley Sarcedo, Cristina Kiomi Mori, Daniel Josef Lerner, Daniela Metello, Daniela Teixeira, Dario Durigan, David Santos, Diego Scardone, Diogo Matheus, Diogo Moyses Rodrigues, Eduardo Frade Rodrigues, Eduardo Spanó, Eduardo Xavier, Elisa Vieira Leonel, Erika Pires Ramos, Ester Rizzi, Fabio Sá e Silva, Felipe da Silva Freitas, Felipe de Paula, Felipe Pierrobon, Fernanda Dusse, Fernanda Machiaveli, Fernanda Marangoni, Fernanda Papa, Fernando Kleiman, Fernando Neisser, Fernando Rugitski, Francisco Carvalheira, Frederico Haddad, Flavia Annenberg, Flávio Marques Prol, Gabriel Ferraz Aidar, Gabriel Sampaio, Gabriela Faustinoni Bonciani, Gabriela Monteiro Avelino, Gabriella Oliveira, Gilvandro Araújo, Guilherme Alberto Almeida de Almeida, Guilherme Varella, Gustavo Caldas, Guimarães de Campos, Gustavo Ramalho Mendes Garrido, Helio Silveira, Henrique Donnabella, Henrique Galkowicz, Ivo da Motta Azevedo Corrêa, Janio Urbano Marinho Junior, Jéssica Costa, Joana D'Arc Borges, Joana Zylbersztajn, João Caldeira Brant Monteiro de Castro, João Paulo Nemoto Sabino de Freitas, José Armando Fraga Diniz Guerra, José Luís Gordon, Karel Sobota, Kristian Carneiro Orberg, Laura Arantes, Laura Oller, Laura Rodrigues Benda, Lais De Figueiredo Lopes, Larissa Beltramim, Livia Sobota, Lucas Maciel, Lucas Marujo, Lúcia Del Picchia, Luanda Vannuchi, Luísa Kufel, M. Luna, Maíra Bühler, Maíra Vannuchi, Manuela Prado, Marcela Mattiuzzo, Marcelo Almeida Cunha Costa, Marcelo Cabral Milanello, Marcelo Chilvarquer, Márcia Semer, Marcio Freitas Filho, Marco Camargo, Marcos Barreto, Maria Beatriz Costa Carvalho Vannuchi, Maria Eduarda Cintra, Mariana Tavares de Araujo, Marie Polidorio, Marina Lima, Mário Henrique Ditticio, Marivaldo Pereira, Mauri Cruz, Mauricio de Gois Dantas, Miraci Lopes dos Santos, Miriam Belchior, Miruna Kayano, Paola Pugliese, Paulo Pastorelo, Paulo Teixeira, Paulo Vannuchi, Pedro Igor Mantoan, Pedro Medeiros Santos, Pierpaolo Cruz Bottini, Priscila Brolio Gonçalves, Rafael Tirapeli, Renata Martins Domingos, Ronan Kayano Genoino, Valdomiro Luís de Sousa, Valessio Brito, Vanessa Dolce de Faria, Rafael Gioielli, Renata Katz, Renato Bacchi, Renato de Paula, Renato Flit, Ricardo Augusto Poppi Martins, Ricardo Leite Ribeiro, Ricardo Lins Horta, Rogério da Veiga, Rogério L'Abbate Kelian, Rogério Sottili, Rosalina Augusta Rolla da Costa, Sávio da Silva Costa, Sergio Ruy David Polimeno Valente, Silas Cardoso, Tania Oliveira, Thiago Lamelo, Tina Timponi Cambiaghi, Valessio Brito, Vania Lucia Ribeiro Vieira, Veridiana Alimonti, Vinicius Carvalho, Waleiska Fernandes, Weber Sutti, Zilda Silva.

Muito obrigado, mais uma vez, a cada uma e a cada um de vocês.

Por fim, concluo afirmando que este é um primeiro livro sobre Diogo de Sant'Ana, uma tentativa de aproximação, elaborada com a urgência que o protagonista merece e a profundidade que nos foi possível alcançar. Outros livros virão. Fica faltando, desde já, um trabalho que se proponha a descrever com mais atenção – e em minúcias – as políticas públicas que ele ajudou a construir, quem sabe a partir do testemunho privilegiado de quem também fez parte dessa construção, de quem esteve por perto e viu as coisas acontecerem. Esses registros terão um valor imensurável para que, agora e num futuro próximo, possamos nos inspirar no Diogo e dar continuidade à sua missão.

Camilo Vannuchi
Março de 2023

Caderno de imagens

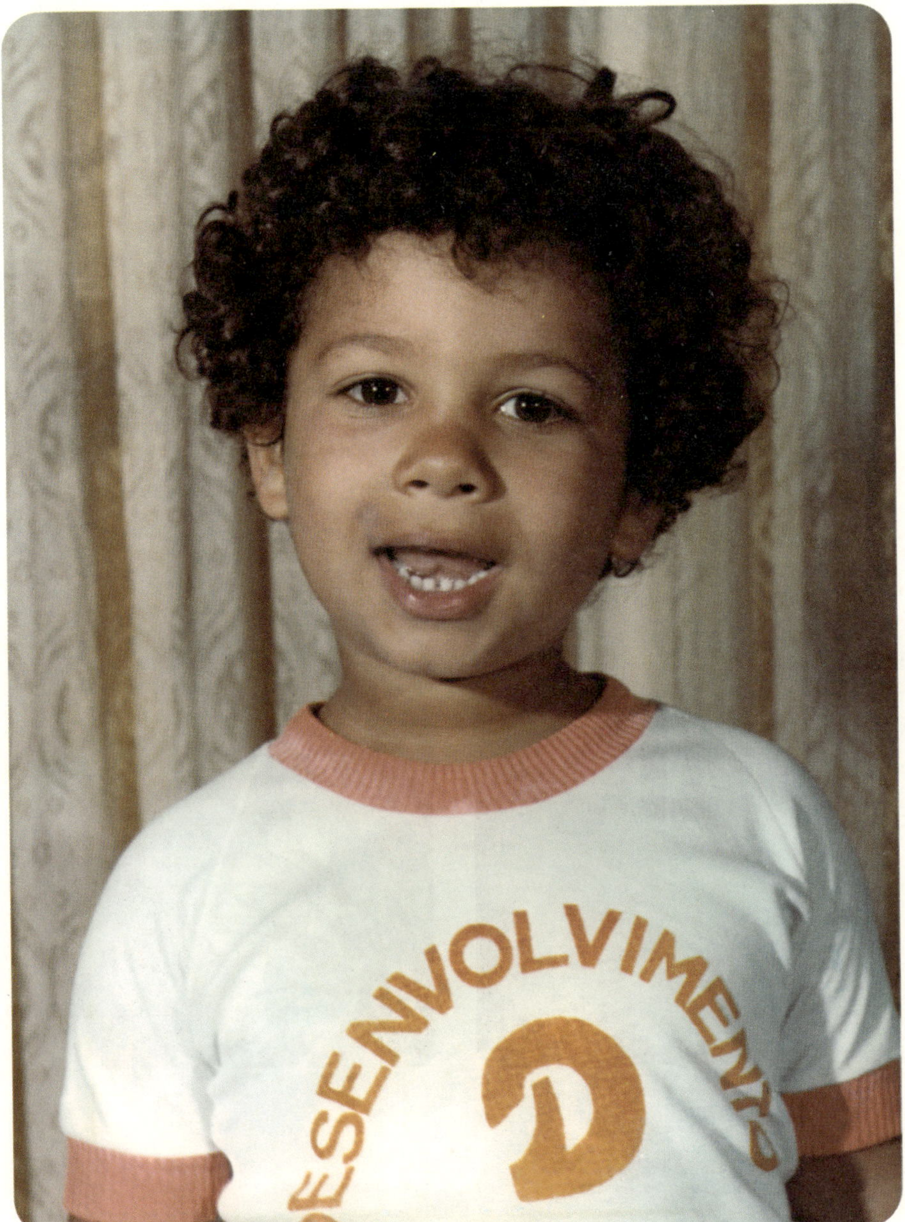
DESENVOLVIMENTO
D

Diogo em seu primeiro aniversário, no colo da mãe, Carminha, em 1980. Abaixo, com a avó Sophia no aniversário de 2 anos, e com tia Daize, aos 4, no quintal da casa de apenas um quarto onde moravam, na Capela do Socorro, Zona Sul de São Paulo.

Na página anterior, Diogo aos 8 anos, aluno da Escola Desenvolvimento.

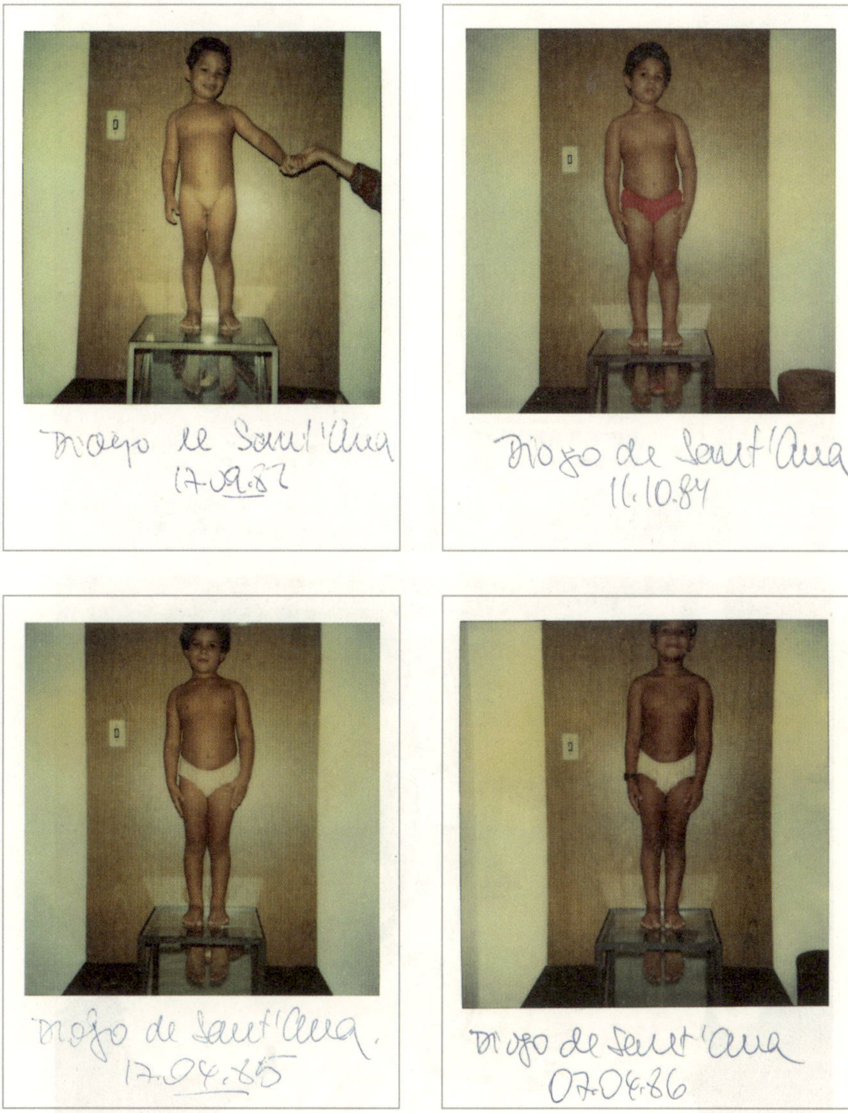

Sequência de polaroides feitas
e anotadas pela mãe.

O gosto por Coca-Cola começou cedo, em 1982. Acima, dia de comemorar 5 anos, em casa, junto com a prima Dani e amigos da escola. Na página seguinte, aos 6, jogando bola no quintal (em frente ao tanque que Diogo viria a quebrar após um jogo do Corinthians). Por fim, com o amigo Álvaro, filho de sua "madrinha" Albertina, brincando e em sua primeira viagem de avião.

jan. 87

No alto, férias na praia, aos 15 anos, no verão de 1995.
Acima, em 1996, no lançamento do livro *Gravidez na adolescência: ai como eu sofri por te amar*, da "madrinha" dra. Albertina, com familiares dela e Carminha.

Diogo aos 15 anos, entre a primeira namorada, Vera, e a irmã gêmea dela, Ana, numa festa à fantasia com o tema "bicho grilo" – com tênis e jeans.

Na ilustração, de 1994, Tomás Bastian retrata Diogo com a camisa 10 do Corinthians e o cabelo *black power* que ele adotou no 1° ano do Colegial. Acima, cabeludo, no time que disputava campeonatos da Prefeitura em 2015.

Acima, elenco do Equipe que foi à Europa em 1996 e jogou a Copa Costa Blanca, em L'Alfas del Pi, na Espanha. Ao lado, com o colega Felipe Pierrobon em visita ao estádio do Barcelona, mais tarde rebatizado como Camp Nou.

GRÊMIO VOZ Ativa

Dioguinho foi um dos diretores do grêmio do Equipe nos últimos dois anos do Ensino Médio. Uma das iniciativas da gestão do Voz Ativa foi a produção de uma revista. "Galera do Equipe invade a Europa com muito samba e pouco futebol", dizia a manchete principal do terceiro número, em 1996.

Revista Voz Ativa Página 7

BRASIL

Uma Nova Esperança

Nos dias 21, 22 e 23 de junho estará sendo realizado na cidade de Mauá, na grande São Paulo, o congresso da nova entidade estudantil que foi reativada no ano passado por um grupo de estudantes descontentes com a UMES (União Municipal dos Estudantes Secundaristas).

A UPES (União Paulista dos Estudantes Secundaristas) entrou em atividade para ser o intermédio entre a organização responsável pelo movimento no Brasil e o órgão de representatividade dos estudantes de SP. A nova entidade cabe solucionar um grande impasse que vem se arrastando por alguns anos dentro do movimento estudantil: grupos partidários como o MR8 (Movimento Revolucionário 8 de Outubro) e a UJS (União da Juventude Socialista) travam um verdadeiro duelo para manter o controle de entidade.

Atualmente a UJS detém o controle da UBES enquanto o MR8 controla a UMES. Tanto uma quanto a outra facção escolhem a melhor maneira de se manter no poder e o número de acusações são incontáveis. A UMES alega incompetência da UBES em termos nacionais, enquanto essa repete insistentemente que a culpa da fragmentação de todo o movimento é da organização municipal, que não executa as tarefas que lhes são obrigatórias.

Os principais prejudicados com essa situação são os Grêmios, como o Voz Ativa aqui do Equipe, que ficam isolados sem ter a quem recorrer, inclusive se tratando do dinheiro que você estudante paga por sua carteirinha que deveria ir para o Grêmio de seu colégio e que acaba ficando nas mãos das entidades.

No próximo congresso (UPES) o Grêmio Voz Ativa juntamente com uma frente de Grêmios que se sentem prejudicados por essa situação estará lutando pela criação de uma entidade decente em que os estudantes se sintam realmente representados e que realmente passem a se apoiar.

Diogo de Sant'anna

Vem aí,
festa
Boom!
não fique aí parado
procure alguém do Grêmio
dia 28/06

Reportagem de Dioguinho para a revista *Voz Ativa* (acima). Ao lado, peça de divulgação de uma das festas organizadas pelos alunos. Abaixo, reunião do coletivo Princípio, que juntava membros dos grêmios de diferentes colégios.

COLÉGIO EQUIPE

GRUPO EDUCACIONAL EQUIPE LTDA
Rua Capri, 276 São Paulo - SP - CEP 05424-030 - FONE (011) 210-5523
13ª D E - Autorização de Func.: Processo nº 01296/72 - CEBN - D. O. 29/04/72

COLÉGIO EQUIPE 1º E 2º GRAUS

CERTIFICADO

Certificamos que Diogo de Sant'Anna
de nacionalidade brasileira, natural de Sao Paulo
Estado de Sao Paulo nascid o a 26 de Marco de 19 79,
concluiu em 1996 a 3a. série do 2º grau, com base na Lei Federal nº 5.692/7, conf. inciso III do artigo 7º da Del. CEE 29/82, Lei Fed. 7.044/82, Res. CFE 6/86 e Lei Fed. 8.663/93, com o seguinte HISTÓRICO ESCOLAR:

COMPONENTES CURRICULARES	1ª SÉRIE		2ª SÉRIE		3ª SÉRIE	
	CONCEITOS OU MÉDIAS	CARGA HORÁRIA	CONCEITOS OU MÉDIAS	CARGA HORÁRIA	CONCEITOS OU MÉDIAS	CARGA HORÁRIA
PORTUGUES E LIT.BRAS.	B	108	B	72	B	144
HISTORIA	B	72	B	72	A	108
HISTORIA DO BRASIL	B	72	B	72	A	72
GEOGRAFIA	B	72	B	72	A	108
FISICA	B	72	B	72	B	72
QUIMICA	B	72	A	72	B	72
BIOLOGIA E PR.SAUDE	B	72	B	72	B	72
MATEMATICA	B	108	B	108	A	72
INGLES	B	36	B	36	B	36
EDUCACAO FISICA	B	108	A	108	B	72
EDUCACAO ARTISTICA	B	72	B	72		
FILOSOFIA	B	72	A	72	B	72
REDACAO EX.LINGUA PORT.	B	36	B	72	B	36
ORIENTACAO EDUCAC.	B	36		36		36

SÉRIE	ESTABELECIMENTO DE ENSINO	LOCALIDADE	ANO LETIVO
1a.	COLEGIO EQUIPE	SAO PAULO - SP	1994
2a.	COLEGIO EQUIPE	SAO PAULO - SP	1995
3a.	COLEGIO EQUIPE	SAO PAULO - SP	1996

ALUNO (A) APTO (A) A PROSSEGUIR SEUS ESTUDOS NA 1ª SÉRIE DO 3º GRAU.

NADA CONSTA QUE DESABONE SUA CONDUTA ESCOLAR.

São Paulo, 20 DEZ. 96

José Roberto do Nascimento
Reg. n.º 072-MEC
RG. n.º 3.475.722-SP
Secretário Escolar

Remo Alberto Fevorini
Reg. n.º 03511-MEC
RG n.º 3.029.261-S P.
Diretor

Histórico escolar revela excelente aproveitamento no Ensino Médio. Ao lado, contribuição de Dioguinho para o livro do 3º ano, com o qual todos os formandos colaboraram: "Por favor, não esqueçam o que se passou aqui"

SONHO IMPOSSÍVEL

SONHAR MAIS UM SONHO IMPOSSÍVEL
LUTAR QUANDO É FÁCIL CEDER
VENCER O INIMIGO INVENCÍVEL
NEGAR QUANDO A REGRA É VENDER

SOFRER A TORTURA IMPLACÁVEL
ROMPER A INCABÍVEL PRISÃO
VOAR NUM LIMITE IMPROVÁVEL
TOCAR O INACESSÍVEL CHÃO.

É A MINHA LEI, É MINHA QUESTÃO
VIRAR ESSE MUNDO, CRAVAR ESSE CHÃO
NÃO ME IMPORTA SABER SE É TERRÍVEL DEMAIS

QUANTAS GUERRAS TEREI DE VENCER POR UM POUCO
DE PAZ!

E AMANHÃ SE ESSE CHÃO QUE EU BEIJEI
FOR MEU LEITO E PERDÃO
VOU SABER QUE VALEU DELIRAR
E MORRER DE PAIXÃO

E ASSIM SEJA LÁ COMO FOR
VAI TER FIM A INFINITA AFLIÇÃO
E O MUNDO VAI VER UMA FLOR
BROTAR DO IMPOSSÍVEL CHÃO

CHICO BUARQUE / RUY GUERRA

"EU SÓ PEÇO A DEUS, QUE A TRISTEZA NÃO ME SEJA INDIFERENTE,
QUE A MORTE NÃO ME PEGUE UM DIA, SOLITÁRIO SEM TER FEITO
[O QUE EU QUERIA."
MERCEDES SOSA

SER LIVRE NÃO É FAZER O QUE SE QUER
E SIM, SABER PORQUE SE ESTÁ QUERENDO FAZER.

Um ABRAÇO,

E POR FAVOR NÃO ESQUEÇAM O
QUE SE PASSOU AQUI, VIVEMOS
E LOUVEMOS A ETERNIDADE DE NOSSAS
EXISTÊNCIAS.

Dioguinho

GRÊMIO VOZ
ATIVA 95-96
AQUELE ABRAÇO

Cerimônia e viagem de formatura do Ensino Médio, em 1996. No alto, de terno e gravata ao lado de Diogo Moysés, Renato Bacchi e Maíra Bühler. Acima, com Bruno Simões, na Ilha do Mel, no Paraná. Na próxima página, Dioguinho foi o orador da turma (e levou um papel com o discurso).

Viagem a Cuba por ocasião do XIV Festival Mundial da Juventude, em 1997. Depois de ouvir Fidel Castro discursar, Diogo foi conferir as esculturas em tamanho real de Che Guevara e Camilo Cinfuegos no Museu da Revolução (acima) e reuniu-se com trabalhadores de Havana (abaixo).

No primeiro ano da graduação em Direito, em 1998, Diogo se associou aos colegas Mário Schapiro e Vinícius de Carvalho na formação do grupo Ruptura, que disputou e venceu a eleição para o Centro Acadêmico XI de Agosto, com Vinícius na presidência. Abaixo, aniversário de 10 anos do Ruptura, em 2008.

Um marco da gestão do Ruptura, em 1999, foi a viagem de ônibus que parte dos alunos fizeram a Belém (PA), a fim de participar do Encontro Nacional dos Estudantes de Direito (ENED). Diogo e Lívia, que viria a ser sua esposa, começaram a namorar no trajeto de ida. Na página ao lado, o casal no ginásio de esportes da UFPA, durante discurso de Lula, e na casa do amigo Ademir.

O Brasil que
conhece o Brasil
OLODUM

No final de 2001, o grupo Ruptura voltou à gestão do XI, desta vez com Lívia na presidência e Diogo tesoureiro. No alto, a festa da vitória.

Em 2002, Diogo conciliou o último ano do curso de Direito com um estágio na Prefeitura e a diretoria do centro acadêmico. Em sentido horário: partida de futebol no campo do XI, festa do penta na Avenida Paulista, discutindo política no "porão" e vendendo bebidas numa Peruada.

Festa de formatura na Faculdade de Direito do Largo de São Francisco, em 2002. Abaixo, com a mãe e com Lívia. Na página seguinte, intervenção com os amigos Fernando Naisser e Fábio Sá e Silva, o "Mato Grosso".

HASTA LA
VICTORIA
SIEMPRE

Caravana para a posse do presidente Lula. Com o amigo Diogo Moyses, acima, e com Lívia, Carminha e o casal Carol Stuchi e Vinícius, no alto.

Após a morte da mãe, em 2003, Diogo tomou a iniciativa de ir atrás do pai, que nunca havia conhecido. Acabou encontrando uma nova família: não apenas Átila, mas também dois irmãos mais novos, Fábio e Iuri (ao lado, na primeira chamada de vídeo dos três).

Diogo virou pai aos 30 anos, em 16 de julho de 2009, três meses após o casamento. "Agora somos três, eu você e a mamãe", escreveu, num e-mail para Gabriela, um dia depois de saber da gestação.

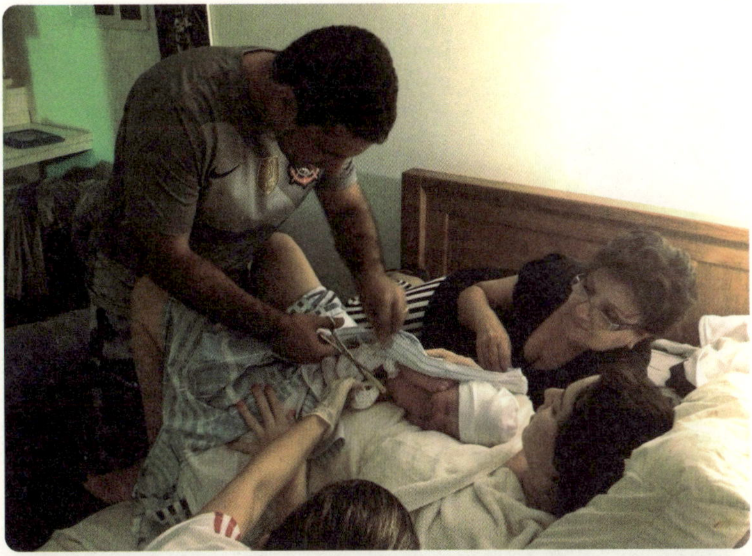

Caetano, o caçula, nasceu quatro anos depois, em 30 de agosto de 2013: um parto humanizado, em casa, na banheira. Na hora de cortar o cordão umbilical, Diogo correu para vestir a camiseta do Corinthians.

Como chefe de gabinete de Gilberto Carvalho no governo Lula e como secretário executivo da Secretaria-Geral da Presidência no governo Dilma, Diogo fez das políticas sociais sua prioridade. No alto, com Raoni numa manifestação em Brasília. Acima, com Padre Júlio Lancellotti e membros do Movimento Nacional População de Rua.

Em razão das pautas que costumava tocar, a Secretaria-Geral da Presidência foi criticada por um político gaúcho que disse que, ali, se aninhavam "índios, gays, lésbicas, tudo que não presta". Servidores do órgão transformaram a ofensa em piada num aniversário de Diogo.

Com o Papa Bento XVI, durante visita do pontífice que Diogo ajudou a organizar, e com o presidente Lula. Fotos: Ricardo Stuckert.

A tese de doutorado orientada por Eros Grau e defendida por Diogo na USP, em 2012 (no alto), foi a base do livro que ele publicou em 2015.

Com Dilma, Lívia e Gabriela em tempos de calmaria no Planalto.
Foto: Roberto Stuckert.

Abaixo, a luta contra o golpe de 2016 chega aos Estados Unidos. Diogo articulou para que a presidenta, já afastada, fosse palestrar em Nova York.
Fotos: Keka Marzagão.

Diogo aderiu ao movimento *Defending Democracy in Brazil* em 2016 e participou de muitas manifestações contra o golpe, como esta, na Union Square, em 31 de março. No detalhe, cartaz de conferência dele na Universidade Columbia. Fotos: Lívia Sá e Keka Marzagão (abaixo).

Entre 2017 e 2018, Diogo realizou o sonho de cursar um mestrado em Administração Pública em Harvard. No apartamento que dividia com dois amigos, recebeu o filósofo Mangabeira Unger (no alto) e organizou festas que reuniam estudantes de diversas partes do mundo.

Protesto por Lula Livre no *Brazilian Day* de 2018. No canto, Diogo diz ao economista Thomas Piketty que ele deveria incluir o Brasil em suas pesquisas sobre desigualdade. Acima, colação de grau em Harvard.

De volta ao Brasil em 2018, Diogo entra como sócio no escritório de advocacia VMCA, do amigo Vinícius. Ao lado, curtição na praia no Natal de 2018. Abaixo, jogo do timão no Itaquerão com os filhos e o amigo Levi, em 2020.

Com a pandemia, Diogo adere ao *home office* no apartamento em que foi morar, pela primeira vez sozinho, na Avenida Paulista.

Com a namorada, Fernanda, em frente ao canteiro de obras do prédio em que financiou um imóvel na planta.

No alto à esquerda, Carnaval de 2020 com Gabriela e Caetano no bloco Saia de Chita, em São Paulo. À direita, em outubro, recepcionado pelos filhos em Bogotá, onde ficaria até o Natal (acima).

Amigas e amigos de Brasília organizaram uma cerimônia de despedida em homenagem a Diogo no Lago Paranoá, nos primeiros dias de 2021.

Idealizado por Diogo, o Samba do Encontro teve sua primeira edição presencial, em São Paulo, no dia de seu aniversário de 43 anos, em 2022.

Presidente Lula, no início do terceiro mandato, cumprimenta Caetano, Gabriela e Lívia durante cerimônia de criação do Programa Diogo de Sant'Ana Pró-Catadoras e Catadores para a Reciclagem Popular. Cooperados inauguraram a tribuna e lotaram o salão nobre do Palácio do Planalto na ocasião. Foto: Ricardo Stuckert/PR.

Impresso por :

Graphium
gráfica e editora

Tel.:11 2769-9056